如果焦慮是隻貓

If anxiety were a cat.

Let's relax together.

帶你擺脫情緒內耗，安撫內心的焦慮貓

段美茹 著

目錄

Chapter 5

序
如果焦慮是隻貓

它的名字叫焦慮。

少年時，總是將一切動盪都視為生命的過程，即使經歷波濤，也能將其寫成生命中耀眼的章節。

年歲漸長，背負起生活的瑣碎與沉重，徘徊於迷茫與未知，很多事情變得無法泰然處之。

在這個追求效率的時代，沉沉浮浮間，內心深處總有一種聲音，常叫嚷著不甘、不願與不適。

世人將其命名為「焦慮」。它如貓般善變、易怒，有人急著將其一腳踢開，也有人因其畫地為牢。

其實，還有一種更智慧的處理方式，就是將它視為生活的一部分，用心豢養焦慮這隻貓。

一半歡笑，一半感傷。這本就是生活的常態。

如心電圖的波動，生命的曲線也總在起伏間前行。

「焦慮」這樣一種小動物，它需要被看見、被理解、被呵護，而並非被敵視、被恐懼、被想方設法地遺棄。

它既然來到你的生命中，何不友好地接納，彼此安撫，互相守護，放慢生活的腳步，借助它讀懂生命的起伏。

或許它可以陪你一起見證人生中一些平凡卻深刻的瞬間，以及那些充滿挑戰和榮耀的時刻。

姓名：焦慮

年齡：與你同齡

性格：欺軟怕硬，性格多變，時而乖巧，時而任性

最貪戀的食物：恐懼、憤怒、自卑、失望、疲憊

特徵：情緒表現多樣，發胖後作威作福，覬覦主人地位

最喜歡的東西：主人心底的快樂和陽光

Chapter 1

焦慮現狀：每個人心裡都住著一隻焦慮貓

焦慮測試幫你找到心底的焦慮貓

人們感覺到的焦慮和真實情況往往並不一致，因此專業的焦慮程度和原因測試是必需的。

「你還好嗎？你看上去有些不安。」

「我很好，我沒事。」

在日常生活中，我們經常會遇到這麼一類人，他們看上去對任何事情都能淡然處之，很少表現出焦慮和擔心。在別人眼中，他們是冷靜而又理性的，甚至是「成熟」的。他們很少在他人面前展露自己的負面情緒，即便別人看出了他的不安，他還是會極力否認。但事實上，他們真的不焦慮嗎？

在對焦慮的相關研究中，研究人員發現了一個十分有意思的現象：有相當一部分人，他們自己報告的焦慮程度，與研究人員按照生理指標為他們檢測出的焦慮程度很不一致。有的人高估了自己的焦慮程度，而有的人則低估了自己的焦慮。高估自我焦慮程度的人，在生活中喜歡小題大做；而低估焦慮程度的人，則經常逃避焦慮或者壓抑自己的焦慮情緒。

針對這一現象，研究人員進行了更進一步的採訪和調查，結果顯示，焦慮逃避／壓抑者往往具有以下幾項特徵：

- 很少獨處。
- 經常將時間花在工作或者其他事情上。
- 喜歡「君子之交淡如水」的交往方式。
- 很少表達自己的感受和即時情緒，表現出高度的理性和容忍度，愛就事論事、以理服人。
- 排斥自己的情緒，討厭情緒化。
- 不太進行深度思考。

相較之下，那些「真正的淡定人」則會表現出以下幾點特色：

- 開放、愉快，在人群中表現得輕鬆自在，較為直率且合群。
- 包容、友好、為人熱情。
- 積極主動、適應性強、靈活度高。
- 享受生活。

其實，每個人多多少少都會有些焦慮，只是焦慮的程度不一樣。每個人焦慮的水準存在差異，他們對待焦慮的態度不一樣，在工作、人際交往等方面的表現也存在很大的不同。值得注意的是，**人們自我感知的焦慮程度，其實往往與實際情況並不一致，甚至天差地別**。

因此，面對焦慮，我們必須注意分辨：自己是真的焦慮還是假性焦慮？或者說是「確實很焦慮」還是「只是表現得很焦慮」？

只有將自己的焦慮程度維持在適當水準，才能有效地控制和運用焦慮情緒，使焦慮發揮其正向的效能，讓我們在生活及工作中表現出最佳狀態。

為了明確了解自己的焦慮程度是否適中，下面這組焦慮程度測試或許能為你提供一些參考。

這組測試共計二十道題目，每道題有四個選項，不同選項的計分值都不一樣。

請根據自己的實際情況選擇對應選項，然後將所有選項的分數加總起來，得出的總分就代表了你的焦慮程度。

第一題　我覺得最近比平時更容易著急或緊張

○沒有或很少時間——1.25分

○小部分時間——2.5分

○相當多時間——3.75分

○絕大部分或者全部時間——5分

第二題　我會無緣無故地感覺到害怕和不安

○沒有或很少時間——1.25分

○小部分時間——2.5分

○相當多時間——3.75分
○絕大部分或者全部時間——5分

第三題　我容易變得驚恐或者心中煩亂

○沒有或很少時間——1.25分
○小部分時間——2.5分
○相當多時間——3.75分
○絕大部分或者全部時間——5分

第四題　我認為自己可能會發瘋

○沒有或很少時間——1.25分
○小部分時間——2.5分
○相當多時間——3.75分
○絕大部分或者全部時間——5分

第五題　我感覺有什麼不幸的事情要發生

○沒有或很少時間——1.25分
○小部分時間——2.5分
○相當多時間——3.75分
○絕大部分或者全部時間——5分

第六題　我的四肢會戰慄，身體也會發抖

○沒有或很少時間——1.25分
○小部分時間——2.5分
○相當多時間——3.75分
○絕大部分或者全部時間——5分

第七題　我苦惱於背痛、頭痛或頸椎痛

○沒有或很少時間——1.25分
○小部分時間——2.5分

〇相當多時間——3.75分
〇絕大部分或者全部時間——5分

第八題　我容易感到乏力和疲勞

〇沒有或很少時間——1.25分
〇小部分時間——2.5分
〇相當多時間——3.75分
〇絕大部分或者全部時間——5分

第九題　我無法靜坐

〇沒有或很少時間——1.25分
〇小部分時間——2.5分
〇相當多時間——3.75分
〇絕大部分或者全部時間——5分

第十題　我感覺心臟跳得很快

○沒有或很少時間——1.25分

○小部分時間——2.5分

○相當多時間——3.75分

○絕大部分或者全部時間——5分

第十一題　我苦惱於一陣陣的頭暈

○沒有或很少時間——1.25分

○小部分時間——2.5分

○相當多時間——3.75分

○絕大部分或者全部時間——5分

第十二題　我感覺手頭有很多事，一直做不完

○沒有或很少時間——1.25分

○小部分時間——2.5分

○相當多時間——3.75分
○絕大部分或者全部時間——5分

第十三題　我感覺有些呼吸困難

○沒有或很少時間——1.25分
○小部分時間——2.5分
○相當多時間——3.75分
○絕大部分或者全部時間——5分

第十四題　我的手和腳會感到刺痛或麻木

○沒有或很少時間——1.25分
○小部分時間——2.5分
○相當多時間——3.75分
○絕大部分或者全部時間——5分

第十五題　我苦於消化不良或胃痛

○沒有或很少時間——1.25分
○小部分時間——2.5分
○相當多時間——3.75分
○絕大部分或者全部時間——5分

第十六題　我小便頻繁

○沒有或很少時間——1.25分
○小部分時間——2.5分
○相當多時間——3.75分
○絕大部分或者全部時間——5分

第十七題　我的手心經常出汗

○沒有或很少時間——1.25分
○小部分時間——2.5分

○相當多時間——3.75分
○絕大部分或者全部時間——5分

第十八題　我感覺到臉紅和臉頰發熱

○沒有或很少時間——1.25分
○小部分時間——2.5分
○相當多時間——3.75分
○絕大部分或者全部時間——5分

第十九題　我入睡困難，甚至整夜失眠

○沒有或很少時間——1.25分
○小部分時間——2.5分
○相當多時間——3.75分
○絕大部分或者全部時間——5分

第二十題 我會做噩夢

○沒有或很少時間——1.25分

○小部分時間——2.5分

○相當多時間——3.75分

○絕大部分或者全部時間——5分

焦慮測試結果對應表

總分	焦慮程度	說明
25～49	正常	繼續保持現有的生活狀態，適當增加運動和休閒活動次數，保持規律且豐富的生活。
50～59	輕度焦慮	最近心情有些許焦躁，但要相信自己擁有強大的自癒力，多參加感興趣的活動。
60～69	中度焦慮	慢下來能使一切更明朗，如果你感到瑣事纏身，坐立不安，不妨與朋友談談心，或者向心理諮商師求助。
70～100	重度焦慮	應立即重視，暫停手頭的工作，尋求專業的心理治療。

經過這些測試，你是否聽到了焦慮貓的喵喵叫聲呢？確定自己的焦慮程度後，我們還需要探究焦慮的類型及引發焦慮的主要原因。

引發焦慮的原因琳瑯滿目，其中包括一些前置性因素，如遺傳和童年經歷的影響；長期因素，如長時間的壓力積累；短期或者突發因素，如意外受傷、應激反應、遭受驚嚇、生活出現重大變故或事業出現重大挫折，以及使用了刺激性的藥物等；生理因素，如神經激素紊亂等；持續性因素，如錯誤信念、情感壓制、缺乏目的意識等。

以上分析僅供參考，要想確定焦慮的原因和具體類型，最明智的做法是：根據自己的焦慮程度，選擇專業的心理諮詢或治療來對症調整，安撫內心這隻敏感的貓咪，以免錯過最佳介入時機。

焦慮是人生的底色

焦慮的產生和蔓延，是我們在乎和重視生活的證明。

焦慮，作為生活的常態，有時恰恰證明了我們對自己生活的重視。上學的時候，為考試和升學焦慮；上班的時候，為工作和薪水焦慮；單身的時候，為找對象和自身條件焦慮；創業的時候，為客戶來源和虧損焦慮；要結婚的時候，為聘金和房子焦慮；生病的時候，為身體和醫藥費焦慮；年老的時候，為養老和孤獨焦慮。

發現了嗎？**我們不僅無法擺脫焦慮的糾纏，甚至可以說，焦慮就是我們活著的證明**。這隻貓咪會悄悄伴隨著我們，考驗我們能否與它和平共處。

焦慮的出現並不總是壞事，往往是因為我們對生活有了新的要求和期待，源於我們對更好、更安全生活狀態的追求，它是我們居安思危意識的體現。**焦慮是人生的底色**，是我們追求上進的驅動力。

即使嬰幼兒，也並非完全無憂無慮。只是他們的焦慮相對較少，主要關乎基本需求，如飢餓、口渴或對母親情緒的感知。隨著年齡的增長和認識的發展，我們的欲望和需求愈來愈多，生活也變得愈來愈複雜。住在我們內心的焦慮貓也會逐漸長大，它時常因為各種事情感到躁動不安，人就愈來愈容易感覺到焦慮。

成年人面臨的壓力和挑戰遠超孩童時期，這或許就是成年人更容易感到焦慮的原因。焦慮的出現，目的在刺激我們找到滿足和發奮的平衡之道而已。

有的人認為焦慮是因為想得太多而做得太少。這種說法也許不完全正確，但有一定道理。當焦慮產生時，它實際上是在提醒我們，是時候通過行動改變現狀了。如果這個時候，我們只是大談特談焦慮存在的合理性，而完全忽視了焦慮對我們發出的提示，那麼我們很可能會陷入焦慮的圈套裡，無法真正解決問題，也無法過上理想的生活。就像面對一隻兇狠的小貓，如果你採用兇狠的態度，牠可能會更激烈地向你發起進攻。相反地，如果你採用安撫的態度，試著去了解牠的需求和渴求，那麼這隻小貓就會陪著你一起找到前進的方向。

所以，面對焦慮，我們應該找到平衡之法，學會與之握手言和，坦然接受它的存在。如實記錄和分析讓我們感到焦慮的事情，審視並「刪除」那些不合實際的欲望。將對未來的焦慮具象為切實、可操作的步驟，確定目標、拆解目標、制訂計畫、執行計畫、調整計畫，可以幫助我們更好地了解內心的欲望，更有效地應對焦慮。

如果你想要成為一個知識淵博的人，那麼可以根據自己的情況做一個循序漸進的計畫。例如，每天睡前閱讀十分鐘至二十分鐘，或者每天讀一篇自己喜歡的文章。起初，先用簡單可執行的計畫，培養自己對閱讀的興趣，在對閱讀產生興趣之後，再逐步增加閱讀時間，而後靈活調整自己的閱讀計畫。

對其他所有目標，也適用同樣的操作原理：從簡單易操作的計畫開始。不要幻想短期內就能達到一個極具挑戰性的高度。

「新手小白三十天蛻變，月入過萬不是夢。」

「從一無所有到年入百萬，他只用了半年時間。」

「曾經無人問津，三個月後他成了別人高攀不起的大神。」

這類標題在現今社交網路平台上太常見，用「速成」給一般普羅大眾製造了一個夢，並無情地收割著人們的焦慮。當大批人趨之若鶩，為那個看似觸手可及的夢想買單，最後卻沒有讓夢想照進現實。當夢的泡影碎裂，焦慮會蜂擁而上。

不過，焦慮也有好的一面。它可以指引我們看清楚自己內心真正想要的東西，使我們在行動和改變中更加專注。

當然，改變並非一朝一夕的事，關注當前、活在當下，把握每一刻的生活，對理解和克服焦慮至關重要。

不可否認，人類熱愛暢想未來，但我們也常常因此錯過眼前的美好。急於成長，長大後又懷念轉瞬即逝的童年時光；急於賺錢，在賺到錢之後又用錢來換取健康；急於實現未來的目標，卻對當前的幸福視若無睹。

所以，在和焦慮共生的日子裡，別忘了「活在當下」。這是先哲們留給我們最樸素、最簡單、最寶貴的處世哲學之一。正如《牧羊少年奇幻之旅》中所寫：

> 焦慮與人類同時誕生，而且由於我們永遠無法完全掌握它，我們將不得不學習與它一起生活，就像我們學會了與暴風雨一起生活一樣。

讓我們摒棄掉那些過度的追求，給自己的心靈做做減法。只要專注當下，做好手邊的每一件事情，生活中的美好就會不斷靠近我們，焦慮會漸行漸遠，我們自己也會煥發新生。

小心焦慮偷走心底的陽光

亂我心者，今日之日多煩憂。
焦慮情緒其實是一種惡性循環。

現在，大家或多或少都認識到焦慮對身心健康的負面影響，也愈來愈重視焦慮情緒管理。但是，焦慮究竟是什麼？它是如何悄無聲息地侵蝕我們的內心，偷走我們心底的陽光呢？

從前述內容中我們知道，焦慮會使人產生心跳加速、呼吸急促、身體發抖等生理反應。國外新的研究表明，焦慮源自於大腦對人身體內部信號的感知，我們所知的那些外在生理反應，其實都是大腦在感知到潛在危險時所採取的應對措施。一般情況下，這是一種正常的反應。但是，如果焦慮突破了正常標準，其引發的一系列生理反應會讓人進入惡性循環，並在這種反復的迴圈中，強化焦慮。

這時候，那隻焦慮小貓會長期保持高度戒備狀態，在你的內心世界亂跑亂抓，擾亂內心秩序。如果任由其發展下去，情況會愈來愈嚴重，甚至進入病理狀態，發展為焦慮症、抑鬱症，吞食你的快樂、你的健康。

一些嚴重焦慮的人，甚至會出現噁心、嘔吐的情況。嘔吐頻率過高，還會引發胃食道逆流、胃潰瘍等毛病；長期焦慮會影響人體的排便情況，造成便秘或腹瀉；焦慮帶來的壓力會促使血糖不斷升高和存儲，長時間下來容易引發中風、心臟病或腎臟器官的病變等；焦慮還會使肌肉持續緊繃，尤其是肩膀和頸部，進而引發緊張性頭痛和偏頭痛。最嚴重的是，長期焦慮會降低人體免疫系統抵抗病毒、細菌的能力。

總之，嚴重的焦慮會引發一系列健康問題。

焦慮不僅會影響我們的身心健康，還會悄無聲息地滲透到我們的認知中，潛移默化地影響著我們的習慣，甚至與我們如影隨形。這種影響主要包括三個方面：

一、影響注意力

你是否注意到，負面新聞和消息往往更容易吸引我們的注意力？

相關科學實驗證明，人具有「注意負性偏向」的特性，也就是說與正性的刺激相比，負性刺激更能影響人腦的資訊加工能力。這也說明人體對於負性情緒的刺激具有特殊的敏感性。比如，給新生兒播放不同情緒的語音，可以發現新生兒更善於區分憤怒、恐懼等具有負面情緒傾向的語音。

因此，焦慮作為一種負性刺激，會讓人更容易關注並受到負面情緒的影響。如果一個人整天被負面情緒和負性刺激包圍，久而久之，他的情緒和工作狀態都可能會受到影響，難以積極、陽光地面對生活。有些曾經樂觀陽光的人，後來變得滿腹牢騷、頻頻抱怨，很可能就是因為受到了周圍環境中負面情緒影響，導致他們的磁場在不知不覺中發生了改變。

二、影響記憶力

當焦慮成為主導情緒時，人的工作記憶容量會明顯下降，導致注意力難以集中。用通俗的話解釋，焦慮的人更容易受到他們所焦慮的事情影響，容易忘事或心不在焉，也更容易記住和回憶起那些讓自己焦慮或不開心的事情。慢慢地，整個人的情緒和狀態就會愈來愈差，甚至影響到人的心理健康和生活品質。

三、影響決策力

通過實驗可以發現，當面臨做決策時，高度焦慮的人往往都較為悲觀，對結果的預期評價也更為負面，尤其是在面對不確定性和模糊結果時，他們的悲觀情緒更加明顯。

舉個例子，一個男孩子心儀於某位女生，想要追求她。如果這個男孩子是焦慮症患者，他可能會悲觀地想：「她這麼漂亮，條件這麼好，一定不會看上我的。」即使鼓起勇氣表白，當女生沒有第一時間給出明確答覆，他便會將之視為被拒絕的信號，認為自己應該放棄，以免給對方造成困擾。相比之下，樂觀的男生會認為，只要女生沒有明確拒絕，就說明自己還有機會。

可見，焦慮者對人生持悲觀態度，在這種心態的影響下，焦慮者很容易畏首畏尾，錯失重要的人生機遇。而這種錯過和失敗感又會反過來加重焦慮感，甚至導致抑鬱。漸漸地，焦慮患者可能會失去對生活的期待，開始懷疑人生的意義。

所以，當你感覺焦慮時，不妨先放鬆下來，去做一次大汗淋漓的運動，享受一次按摩，聽一段舒緩浪漫的音樂，找二三好友聊聊天。如果情況嚴重，要及時尋求心理諮詢師的幫助。千萬不要不當回事，任由焦慮耗盡我們的意志，盜走我們心底的每一寸陽光。

當心那隻很會躲迷藏的焦慮貓

焦慮不是突然發生的，它只是慣於隱蔽，容易被人忽視而已。

焦慮有時會悄然而至，如同一隻潛藏在暗處的貓咪，在你毫無察覺的時候，悄無聲息地潛入你的心房。然後，在不經意間給你重重一擊，令你潰不成軍，無力抵抗。

這就是焦慮的狡猾之處，它的隱蔽性讓你難以捉摸，防不勝防。

小雪罹患焦慮症已經有五年了。按照她的說法，她的焦慮症並不是一下子就有的。

早在高三時，她就曾因為學習壓力太大經常失眠，只不過高考結束之後，失眠情況消失了。小雪也就沒把這件事放在心上。

後來，經歷實習、面試和研究所考試，她又開始整晚地失眠。但是，小雪認為這只是自己的「老毛病」，反正之前在壓力過後，症狀就消失了。所以，她依然沒有重視。

殊不知，住在心裡的那隻焦慮貓，在她尚未察覺之時已經悄悄長大。直到研究所一年級入學，她被確診為焦慮症，小雪才明白，之前的多次失眠不過是焦慮症在隱忍和累積而已。現在，經過數年醞釀，焦慮貓變得躁動不安，焦慮症開始洶湧爆發了！

確診後的她陷入了情緒的惡性循環中，她無法理解自己的情緒，甚至無法控制自己的身體，這讓她更加焦慮和恐慌。最嚴重時，小雪選擇尋求專業的心理治療。經過艱難的療癒過程，小雪的狀態才開始一點點改善和恢復。

在這個過程中，小雪對焦慮症有了更深入的了解。

焦慮會躲貓貓——焦慮症具有很強的隱蔽性

焦慮症在初期症狀不明顯，這隻調皮的小貓常常躲在暗處，偶爾出來作威作福。焦慮發作後，隨著壓力源的消失，相關症狀也會很快消失，使人們誤以為一切恢復如常，沒有察覺出問題的存在。

然而，由於沒有及時調整和治療，這種焦慮的思維模式和反應已經形成，症狀只是隱而未發，並未徹底消除。

焦慮貓在偷偷長大——焦慮具有累積性

即便外在的症狀消失，未經疏導的焦慮心理和情緒，仍會在內心不斷累積。不要被焦慮貓的暫時安靜所迷惑，它並沒有變得乖順，而是在暗處伺機而動。

很多人都有過在面臨重大事情時感到緊張焦慮的體驗，這種感覺並不會隨著事情的結束而隨風飄散，反而會在內心深處開始了積少成多的過程。如果不能及時處理，就可能引發更為嚴重的焦慮症狀。所以，對於焦慮心理，我們不能掉以輕心，而應該及時尋求紓解和幫助。

進擊的焦慮貓——焦慮被自我提醒後會加劇

簡單來說，如果我們沒有意識到自己正在經歷焦慮，情況可能還好一些，一旦明白自己的某些症狀或者行為其實是罹患了焦慮症，心理負擔就會驟然加重，導致我們更加擔憂和焦慮，焦慮也會因為這種反復的暗示和提醒，變得愈來愈嚴重。

所以，要小心，焦慮貓在你意識到它的存在時偷偷升級，變得越來越難以馴服。

飢餓的焦慮貓——焦慮具有消耗性

高度、持續地焦慮使人的身心一直處於緊張和不安的狀態，這種高度緊張和不安，會讓焦慮貓不斷消耗人的精神和能量。久而久之，就會給人的身心造成強烈的不適感，甚至還有誘發抑鬱症的風險。

會膨脹的焦慮貓——焦慮具有擴散、泛化性

焦慮貓有不可小覷的「膨脹」能力。起初，引發焦慮的可能只是某件具體的小事，但如果焦慮沒有得到及時排解，焦慮情緒就會擴散、蔓延到生活中的方方面面，甚至會讓人變得「風聲鶴唳」，猶如「驚弓之鳥」，難以維持正常的生活和社交。

小雪的經歷完全符合焦慮症的幾個特徵，核心都是因為在出現焦慮情緒之後，沒有及時識別和處理，導致焦慮症狀愈來愈嚴重，直到必須接受專業治療才能緩解。

因此，對於焦慮情緒，我們必須要提高警惕。一旦發現壓力大、不對勁，就應當及時尋求疏導，絕不能任其隱蔽和累積下去，否則，只會讓焦慮情緒愈來愈難以控制。

那麼，要如何識別焦慮情緒呢？

除前述焦慮的相關表現外，下面一些行為的出現也標示著隱性焦慮症的信號：

1. 老是心情沉悶，不敢也不願意和他人溝通、表達自己的真實想法，害怕給他人添麻煩。
2. 受到委屈時不敢表達或反抗，常常偷偷地哭泣。
3. 喜歡把自己的欲望合理化地強加在他人身上。
4. 喜歡反向輸出或表達自己的情緒和心意，如明明很喜歡某件商品，卻偏要對別人說「這個東西很普通，不值這個價格。」
5. 喜歡迴避現實和問題，「吃不到葡萄就說葡萄酸」。
6. 習慣將敵意轉嫁給他人，例如在工作中受了氣，回家後將氣轉嫁在親人身上。
7. 常常用「哭鬧」或者「放縱」的手段來解決問題，如酗酒等。
8. 容易受到驚嚇。
9. 猶豫不決。
10. 習慣性地貶低自己。
11. 消極想法非常多，較為悲觀。
12. 喜歡過度思考過去的對話。

13. 多次出現失眠、冒汗、緊張、頭痛等身體症狀。

……

總之，只要我們有意識、細心地、體貼地觀察和處理自己的心理和行為狀態，就可以發現那隻隱藏在內心深處的焦慮貓！

為什麼愈努力愈焦慮

你明明很努力，又為什麼焦慮；
焦慮是對未來與未知的不確定性使然。

愈努力愈焦慮，是很多人的生活常態。

有這樣一群人，他們出沒於各種社交媒體打卡，購買各式各樣的課程和專欄，做出精細的規劃表格以進行時間管理。然而，即便付出這麼多努力，還是消除不了他們內心的焦慮與迷茫。

不努力焦慮，努力也焦慮。

週日晚綜合症，也是焦慮的一種常見表現。網上投票顯示，在「週日晚上是否感到焦慮」這個問題上，絕大多數人給出了肯定的答案，比例之高令人震驚。

「天一黑，心裡就像被按下了一個開關，開始莫名煩躁。」

「明天又要假裝陽光積極了，好累。」

「週日比週一更讓人感到失落，好像風雨欲來，焦慮得像燒熱了的鍋。」

「太可怕了，眼睛一閉一睜，週一就來了。」

更誇張的是，很多人的「病症」表現得十分具體，比如失眠、食欲不振、噁心，甚至拉肚子。有些極度焦慮的人從週日早上起床就開始感到不適。他們的腦海中總會跳出一個問題：「人，為什麼要工作？」

我相信，很多人看到這裡都會會心一笑。因為這種情況在年輕人中並不罕見。尤其到了週日下午，他們會不自覺地想起上週五未完成的工作，想到週一需要處理的事情，以致還沒到週一，他們就開始焦慮了。

這種焦慮主要源於對未知事物的恐懼和不可控。根據世界衛生組織（WHO）二〇一九年公布的資料統計，中國「泛抑鬱」的人群已經超過了九千五百萬，並且有不斷年輕化的趨勢。台灣方面的統計資料也很驚人，專門研究輕型精神官能症的台大醫院精神科醫師李宇宙推估，焦慮症的終身盛行率（指一生當中可能罹病的機率）在百分之十五至三十之間，台灣約有百分之十的民眾，已經到了焦慮成疾的程度。也就是說台灣每年有兩百多萬人有病態的焦慮，總數比糖尿病、高血壓的患者還要多。這樣的內心煎熬，幾乎每一個在一二線城市努力打拚的年輕人都深有體會。

如何消除這樣的情緒？不妨試試以下方法：

一、從意志驅動改變爲興趣驅動

一條「鹹魚」是不會受到「努力焦慮」的困擾的，反而是對自我要求愈高的人愈容易感到焦慮。關鍵在於，這樣的努力究竟是意志驅動還是興趣驅動。

兩者的區別是，前者令人感到壓力和痛苦，後者讓人感受到收穫和安寧。

舉個例子，一個想要養成早起習慣的人，如果是意志驅動，就可能會被迫在各個群裡「打卡」，不斷給自己灌輸健康積極的生活理念，但內心卻充滿抵觸情緒。如果是興趣驅動，就會樂於體驗和享受每日晨間的寧靜世界。

體育鍛鍊是這樣，閱讀是這樣，努力工作也是這樣。

二、人人如此，不必在意

當我們發現焦慮是每個人都可能會有的情緒時，就不會那麼糾結了。

主持人撒貝南在一檔綜藝節目中坦言，自己有時也會感到焦慮。即便是光鮮亮麗的明星、主播，也在備受焦慮的困擾，承受著競爭的壓力。同樣，企業家、創業者也無法擺脫這樣的困境。

既然這是一種大多數人都會面臨的處境，那麼我們或許可以更加平和地看待焦慮，學會與焦慮共處。

三、降低期待值

所有的失望，都源於期待過高。比如我們期待的生日禮物是一部手機，結果收到的卻是一束鮮花，這種落差感可能會讓我們感到失望。

在這個浮躁的社會，人們彷彿已經忘記如何慢下來。而過於著急，必然會產生焦慮。

有期待是好事，它如一盞明燈，照亮我們前行的路，激發我們對某件事情的熱情和幹勁。但期待值不宜過高，必須設定在合理的範圍內，符合我們自身的實際情況和能力，才能穩步向前，起到正向效果。

四、做一個長期主義者

想要慢下來，就要找到真正有價值和有意義的事。當你找到自己所做事情的意義，潛心在該領域深耕，願意把自己的目標週期放寬到三年、五年，甚至七年，就有極大概率有所成就。而在努力耕耘的這段時間裡，你也會感受到充實。

五、懂得自我接納、自我肯定和自我愛護

提高自我認知，接納不完美的自己，正視自己的價值，提高自尊水準。

當我們建立起足夠強大的自尊時，就能夠以平和的心態接受一切變化，坦然面對一切未知，化解內心的焦慮。通過這種自我關懷和理解，讓自己的心寧靜下來，不被外界的紛擾所打攪。

Chapter 2

焦慮源頭：這隻喵星人究竟來自哪裡？

焦慮來自何處？

我們聽到、看到的可能只是很小的一部分，
卻因將其視為全部而深感焦慮。

你有沒有想過，我們對很多事物的認知可能都存在某種程度的偏差？這種認知上的偏差，正是孕育焦慮的溫床。

上網衝浪，看到某報導說現在的人均可支配收入，已經達到五萬元甚至接近十萬元，想想自己可支配的餘額／信用卡，焦慮感如潮水般湧上心頭，內心的那隻貓咪瞬間揮起了不安的小爪子。

瀏覽社交媒體，看到很多人生活富裕、有房有車、四處旅遊、無憂無慮，於是在自己的想像裡，身邊人都成了隱藏的富翁，有著不錯的收入，過著閒適快樂的生活。只有自己每天還在發愁下個月的信用卡怎麼還，什麼時候才能賺夠錢買間套房……真是愈想愈令人焦慮。

以上這些情形，是不是感覺似曾相識？可是，這些讓你感到焦慮的事情，真的是事實的全部嗎？

台灣的統計資料：資料顯示，雖然政府公布台灣人二〇二三年平均月薪高達五萬八千元，但根據主計處二〇二四年中針對台灣勞工薪資統計顯示，台灣全體受僱員工的平均月薪只有四萬六千一百七十三元，七成勞工月薪低於五萬元。看到這樣的資料，你還會因為月薪四萬元的工作而自卑、焦慮嗎？

再說臉書和ＩＧ。人們只是習慣在外人面前展示自己美好的一面，讓別人覺得自己衣食無憂，生活富有情趣，以滿足自己或多或少的虛榮心。而真相可能是，很多喜歡曬豪車、豪宅的人，背地裡是和我們一樣的普通人，私底下甚至貸款一大堆，或是偽裝成富豪的商業騙子。

由此可見，焦慮源於盲目的比較，或者說認知的偏差。我們所聽到、看到的往往只是一小部分，卻將其認定為全部，從而進行了錯誤的判斷和比較，使自己陷入焦慮的狀態中。美國知名心理治療師珍妮佛·香儂在其著作《跳出猴子思維：如何打破內心焦慮、恐懼和擔憂的無限迴圈》中，就焦慮的成因、特徵和應對方式提出了十分重要的論述。

在香儂看來，焦慮的產生常常源於兩種認知偏差：一是會高估事情對自己的威脅，這種過度擔心使他們感到惶恐不安；二是低估自己對威脅的應對能力，認為麻煩事遠遠超出自己的掌控範圍，自己無力解決，只能放棄追逐夢想和成功，放棄努力。

那麼，什麼是「猴子思維」呢？先哲們將人類的內心比喻為一隻猴子，憂慮始終盤繞心間，就好比猴子一直跳來跳去、喧鬧不已，而香儂就把焦慮之人的思維模式稱為「猴子思維」。有著「猴子思維」常常陷入焦慮狀態的人，具有以下幾點特徵：

一、難以忍受不確定性

生活中一旦存在不確定因素，他們的內心就會感覺不踏實。只有當所有事情都能得到百分百的確定，才能獲得生活和心靈的安寧。

二、凡事追求完美

力求每件事都能做到完美，希望每時每刻都展現出自己絕佳的狀態。一旦遭遇不完美的境遇，哪怕是一個小小的失誤，都會引發他們的焦慮和不安。

三、對事情過度負責

這類人過度關心身邊的人和事，對孩子、配偶甚至父母、兄弟姐妹都感到不放心，喜歡事無鉅細地幫他人打點好一切。他們總想要掌控他人，認為自己對身邊人的安全和幸福都負有責任。這種過度的責任心，會使他們時刻繃緊神經，無法輕裝前行。

擁有這些特徵的人，思維上更容易產生認知的偏差。比如身體稍微不舒服，就容易幻想自己得了不治之症；某件小事沒有做到完美，就會過度自責，認為自己什麼都做不好；或者覺得孩子一定不能獨立生活，時時刻刻都要掌握孩子的動向等。而這些認知偏差，就是造成他們焦慮且愈來愈焦慮的主要原因。

想要轉變這種思維，緩解認知偏差帶來的焦慮感，可以嘗試採取相反的思維方式，以促使改變發生，那就是**接受和認可生活中的不確定性以及自己的不完美，允許自己犯點錯，在關心和對他人負責之前，先關心自己，對自己負責。**

當然，改變自己習以為常的思維方式不是一蹴而就的，本書在後面的章節裡也會提出更加具體、具有操作性的建議，供讀者嘗試和練習。

比焦慮更焦慮的事：情緒與自我的對立拉扯

最令人焦慮的是焦慮本身；
焦慮的本質是尚未整合的自我衝突。

你是不是曾有過因為和自己較勁，而陷入不安的時候？內心的焦慮貓咪展開攻擊時，會將自己抓傷。

焦慮的人常常陷入一種彆扭的狀態，他們習慣將自己與內心的焦慮情緒對立，努力想要擺脫那份不安，卻又往往適得其反，深陷焦慮的沼澤，無法自拔，每天在焦慮情緒中自我拉扯，狀態愈來愈糟。他們愈渴望掙脫，就把自己綁得愈緊。

為什麼會這樣呢？精神分析理論認為，焦慮是一種消極的情緒體驗，這種情緒包含了緊張、憂慮、不安、驚恐、焦急等多種情感成分。焦慮的根源在於人格的不適應狀態，表現是自我在處理現實、本我和超我的關係時所陷入的一種軟弱的狀態。

自我、本我、超我的概念，最早由著名的心理學家佛洛伊德提出。佛洛伊德是二十世紀最有影響力的心理學家之一，也是精神分析學的創始人。他的研究理論，為我們理解複雜的人類心理提供了一個獨特的視角。

本我，代表了思維的原始程式、潛意識裡的思想。在人格結構上，本我是基礎，自我和超我都依賴本我而發展。本我是人與生俱來的最本能、最原始的欲望和衝動，如性欲、飢餓、生氣等。本我遵循「快樂原則」，不在乎社會規則，而注重生物性需求、欲望的滿足，會本能地趨利避害，避免痛苦和不快樂。

自我和本我不同，自我屬於人格的心理組成部分，它遵循社會的規則，因而對本我的快樂原則進行了壓抑。自我時刻提醒本我，尊重規則，避免無序行為。

超我，受道德原則的支配，迴避禁忌，是個人維持道德感的重要因素／組成。它在抑制本我的衝動，對自我進行監督的同時，追求完善的境界，就像是一個英明神武的大好人，引導個體保持正當行為。

本我、自我和超我構成了完整的人格體系。心理學家認為，和人有關的一切心理活動，都可以從三者之間的聯繫中找到合理的解釋。

隨著本我的不斷發展，人漸漸學會區分自己的思想和外界的思想。自我就負責調節這兩種思想的矛盾，例如利用延遲滿足技巧，平衡本我的即時衝動等。而超我通常和本我是對立的，因此會使得自我經常陷入左右為難的境地。而自我又是永久存在的，為了維護心理平衡，自我必須不斷調節和協調本我和超我的矛盾。

當個體面對現實生活的茫然，不知道下一步該往哪裡去，下一步該做什麼的時候，一向深謀遠慮的超我就會發出擔憂：以後該怎麼辦呢？未來賺不到錢，沒飯吃會不會餓死？這個項目如果失敗了，別人看不起我怎麼辦？到底要怎麼抉擇呢？

於是，憂心忡忡的超我開始向本我和自我發出提醒：必須趕快做點什麼來解決未來的憂慮啊！

但是，只追求即時滿足的本我卻說：想那麼多幹什麼？現在高興就行了。

超我一聽：都火燒眉毛了，還說我想得多？

超我和本我吵架，負責居中協調的自我便開始產生了「焦慮」。可以說，**焦慮在本質上就是沒有整合好自我衝突而使內心失去了秩序**。

這種由自我衝突導致的焦慮，可以細分為以下三種：

一、自我和現實的衝突引發的現實焦慮

這種焦慮的來源往往非常具體、明確。比如，年終總結時，發現沒有完成年初制定的目標；快要考試了，卻發現自己還有很多資料沒來得及複習等。這種都是自我在察覺到外界的威脅後，通過產生不安、緊張等情緒來提醒我們，要未雨綢繆，為接下來要發生的事情做準備。這種焦慮一般情況下是正常的，也是有益的。

二、自我和本我的衝突引發的神經質焦慮

這種焦慮是由現實的焦慮發展而來的，起源於自我對本我的失控。一些常見

的恐懼症狀都是神經質焦慮的體現。如有的人害怕幽閉的地方，其他人可能很難理解，只是一個空間而已，有那麼可怕嗎？

其實，對這些人來說，令其恐懼的並非某個空間本身，而是在那種環境下，他們會因無法逃離而感覺恐慌、焦慮，出現心慌、氣短的情況，甚至可能會暈倒。為了避免這種失控，他們迫切渴望遠離這樣的地方。久而久之，這種想法不斷被強化，只要碰到幽閉的空間，自我就通過產生焦慮來提醒、迫使個體儘快離開，以免陷入失控的狀態。

三、自我和超我的衝突引發的道德焦慮

這種焦慮類似於一種良心上的譴責，那些有著道德潔癖，或者秉持道德完美主義者在自我意識到其想法或某些行為不符合道德標準時，就會產生焦慮。這種焦慮也是一把雙刃劍，它的存在可以幫助我們成為一個善良的人，但如果超我設置的道德準則過高，也會給自我帶來許多不必要的內耗。

總之，人的這種自我的對立和拉扯創造了焦慮。

不過，當個人承受的來自本我、超我和外界壓力過於強大而出現焦慮時，自我的心理防衛機制也會逐漸啟動。壓抑、替代和拒絕都是我們天生就掌握的可以對付焦慮的方法。

了解這一點，我們就會明白，想要解決這種自我拉扯帶來的焦慮和內耗，關鍵在於直接面對本我和超我的衝突。因此，多給自己一些平靜獨處的時間，去思考如何消除自我與現實的差距。通過平靜地與自己相處，重新審視內心深處的混亂，並對內心的衝突加以組織和協調，從而獲得人生與心靈的一致和諧。

停止餵養焦慮

焦慮為什麼會變得愈來愈嚴重？

消除焦慮，首先要停止餵養焦慮。

適度的焦慮是我們前進的動力，但問題在於，一旦焦慮形成，很多人會不自覺地為其注入養分，直到這隻焦慮貓愈來愈胖，開始騎到主人頭上作威作福，我們才意識到焦慮的嚴重性。

與動物有了食物才能生存一樣，焦慮也需要養分才能夠持續生長。所以，想要消除和控制焦慮，就要學會停止餵養焦慮。

那麼，我們靠什麼餵養了焦慮呢？答案是內心的恐懼、自卑、失望、憤怒和疲憊。這些都是令焦慮貓垂涎三尺的「美食」。

以父母送孩子上學為例，有時候孩子晚了一些，喜歡餵養焦慮的父母會有什麼樣的反應呢？

他們會迅速在腦海裡幻想出一個故事，在這個故事裡，孩子的拖拖拉拉成了一種長期行為，未來也會如此，需要父母不斷催促，這種想像讓他們焦慮不安。

在他們的內心世界裡，當下的情緒和情境被無限放大，焦慮值也迅速膨脹。即使當時父母沒有對孩子表現出來，但他們內心卻承受了巨大的焦慮情緒。

從這裡可以觀察到，喜歡餵養焦慮的人，思維具有明顯的「未來傾向」，無法活在當下。這種思維模式更容易讓他們受到焦慮的侵擾，影響生活品質。

除此之外，以下幾種常見的行為也是餵養焦慮的表現：

一、喜歡自我批評

比如，當你在某次競爭中落選，你會為此責怪自己，認為自己沒有達到內心的預期。但你忽略了一個重要的事實，在眾多優秀的候選人中，一次獲選也可能是基於能力之外的因素，如運氣、時機等。

所以，當我們的努力沒有獲得預想的結果時，大多數時候可能都不是你的錯。過度的自我批評不僅無益於解決問題，反而會餵養焦慮，讓我們做事時更為困難。試著以寬容理解的心態看待自己不完美的一面，從中汲取教訓，更好地前行。

二、對一切都感到焦慮

喜歡餵養焦慮的人總是對「一切」都感到焦慮。他們習慣將問題堆積、累積在一起後，進行模糊化處理，這種處理方式致使問題愈積愈多，內心也愈來愈焦慮。

對此，我們需要明白，生活本就喜歡在我們感到平靜的時候，給人以更多的挑戰，這是生活的常態。接受這一事實後，我們要做的就是積極行動。將問題逐一羅列，從最容易引發焦慮的問題入手，將大問題拆解成小問題，這樣不僅能夠幫助我們快速解決問題，每解決一個小問題，還能夠給人帶來一點兒成就感，從而有效減輕焦慮。

三、愛往最壞的情況思考

這是最常見的一種餵養焦慮的思考模式，人們常常對其他可能發生的積極場景視若無睹，而不自覺地擔憂、關注可能發生的最壞結果。哪怕在旁人看來，這種最壞結果發生的概率非常低，甚至永遠都不會發生，但他們依然會陷入焦慮的漩渦。

要知道，很多你認為迫在眉睫、無可避免的事，其實不過是我們大腦的過度想像，並非真正的威脅。

因此，與其擔心未知的結果，不如行動起來，制定一些合理的預防措施，幫助我們轉移注意力，將關注點放在那些我們可以掌控的事情上。

四、將自我價值建立在成功水準上

那些容易焦慮的人，常常錯誤地認為自己的價值是基於自己的成功程度，彷彿只有不斷追求成功，才能夠證明自我價值。他們像倉鼠一樣，在輪子上無休止地奔跑，追逐一個又一個目標。而每一次的成功或者失敗，都會對他們自我價值的認知造成極大的震盪，焦慮程度也會暴增。

將自我價值和成功綑綁在一起，本身就是在餵養焦慮。

人的價值並非取決於外在的容貌、學歷、體魄或收入等，而是源於我們身為人的本質。人性中，最為關鍵且不容忽視的部分，便是自我價值。

追求學位、想要升職加薪並沒有錯，努力也是自我成長的一部分，但不應該將它們看作衡量自我價值的唯一標準。只有正視自我價值的存在意義，才能夠真正超越焦慮，化解焦慮。

五、很難做出決定

愛餵養焦慮的人，在面對需要做出決策的事情時，常常感覺舉步維艱。在他們眼裡，決策好似最終局，一旦做出，就不可逆轉，沒有退路可言。對決策後果的擔憂，讓他們難以邁出前行的步伐。

事實上，很多決定都是可逆的。對這份工作不滿意，你可以換下一份工作；對這個房子不滿意，你可以尋找下一個更好的住處；和朋友、伴侶的價值觀不同，那就代表對方不適合你，你可以瀟灑地離開，尋找和你契合的夥伴。

當然，每一個決定的背後都伴隨著責任和潛在後果，但這不是我們逃避決策的藉口。**拒絕做出決策和做出錯誤的決策，兩者帶來的後果一樣令人難以承受。**所以，與其焦慮後果，不如多花點時間收集資訊，通過充分的資訊來幫助自己做出明智的決定。同時提醒自己，無論面對怎樣的岔路口，我們都有改變方向的能力和機會，這樣可以幫助我們減輕心理壓力，而不是強迫自己做出一個「完美」的決定。

總之，想要有效預防焦慮症，就必須在日常生活中調整自己的思維模式，養成積極的生活方式。避免長時間久坐，適當增加運動時間，聽聽音樂。只要我們不再主動餵養焦慮，就可以將其控制在適度的範圍內，降低焦慮對我們生活的影響，擁抱更平和、更健康的自己。

找到內心缺口，做情緒的真正主人

焦慮擅長「見縫插針」，

做個心理強大的人才能讓它畏懼！

我們經常覺得焦慮來自於外在事物，但實際上，焦慮的根源大多深植於我們內心扭曲、錯誤的認知模式。

這些認知模式導致我們對現實世界做了不切實際的評估和解讀。而這些認知的形成，很大一部分來自我們的童年經歷。在這些經歷裡，我們可能會形成認知偏差，導致思維模式的歪曲，從而在發生一些事情的時候，使我們產生錯誤的理解和判斷，出現焦慮的情緒。

相信很多人都有這樣的認知：隨著年齡的增長，愈來愈感覺到，童年時期那些未被看到和滿足的需求，如同一顆隱形的種子，在我們成長的道路上悄然生根，塑造了我們性格中不那麼積極的一面，例如自卑、敏感、自我懷疑、膽小怕事等。

這種感覺有時清晰明顯，有時模糊難辨。尤其當自己的經濟能力和精神世界都不夠穩定和豐富時，更容易胡思亂想。內心的缺口似乎難以癒合，不經意間就會在頭腦中一遍遍播放童年時期受到的某些傷害，甚至會將他人的錯誤歸結於自己，毫無緣由地感到焦慮、困惑、迷茫。

這些都讓我們明白，想要化解焦慮，必須審視和療癒自己的內心。我們應該勇敢面對過往不好的回憶，用愛去填補內心的缺口，不給焦慮可乘之機。

內心的缺口得不到填充，就可能引發多種與之緊密相關的心理模式，進而影響個體的行為表現和情緒體驗。

模式一：只關注消極的那一方面

安然生活在一個嚴謹而又充滿期望的家庭環境中，父母對她寄予厚望，事事要求她做到最好。這種成長經歷讓她在之後的每一步都走得小心翼翼，生怕出錯。

安然大學畢業後，成為一家公司的活動策劃人。一次活動結束後，長官鼓勵大家暢所欲言，為活動提意見。同事們腦力激盪，給出了一些富有建設性的小建議。安然頻頻點頭，一一記錄在本子上。然而，在此之後她卻陷入極度的焦慮之中，開始懷疑自己的工作能力，甚至認為自己難以勝任這個職位。她回憶起幼時父母對自己的要求，那些「不夠好」的評價像是一把利劍，刺穿了她的心。

事實上，安然是個很優秀的活動策劃人，長官們也很器重她。然而，焦慮使安然陷入消極思維模式。她只看到事情的消極面，忽略了其中的轉機和值得讚揚之處。她害怕被批評，這種恐懼讓她無法專心解決問題，反而變得悲觀起來。

其實，失敗也是成長的一部分。更何況，受時間的限制，活動策劃本身就是一個充滿挑戰的領域，即使再出色的策劃師也很難做到十全十美，有需要改進的地方很正常。面對不足和挑戰，我們應該學著從積極的角度看待問題，不要一味沉浸在消極情緒中。只有如此，我們才能夠從不足中吸取教訓，取得進步。

模式二：非黑即白，沒有灰色地帶

晴天是個害羞、靦腆的女孩，她雖然參加了很多社交活動，但是卻沒有和任何人成為真正意義上的朋友。

她與人交往時總是過於敏感，一旦發現對方一點兒瑕疵，就會在腦海裡反復放大這些細節，因此感到焦慮。久而久之，她漸漸忽略了人與人之間交往的溫度，非常容易因為一些小事就對別人做出價值判斷。

在她的世界裡，事情彷彿總是非黑即白，沒有過渡地帶。她看不到事情的複雜性、多面性。這種思維方式讓她在人際交往中總是感到不安和困擾。

模式三：把一切看作一場災難

茜茜的肚子疼了三天，這讓她憂心忡忡，難以入眠。在她的成長過程中，父母對她過度保護，每當她有點兒不適，父母就表現得極度緊張，這也影響了她的思維方式，習慣誇大事情的嚴重性。

這種思維模式讓她覺得自己一定是生了什麼病。她在網上查到的資訊愈多，感覺就愈糟糕，變得越發悲觀。當她最終決定去看醫生的時候，她確信自己只有幾個月的生命了。

經過檢查，醫生告訴她，她只是患上了腸躁症，這是一種常見的由焦慮引起的健康問題。之後，她開始接受焦慮症治療，很快她的症狀就消失了。

這便是典型的災難化思維，傾向於把一切事情都看作災難，或者基於最小的徵象做出最壞的假設。這種思維方式不僅讓人承受不必要的擔憂和恐懼，還會影響人的身心健康。

模式四：只憑自己的感受做判斷

麗麗每次考完試，心情都非常糟糕，擔心自己的考試不及格，這也致使她精神高度緊張，無法放鬆下來。但事實上，她的表現一直不錯。那麼，麗麗的焦慮來自哪裡呢？

回溯她的成長經歷，可以發現一些端倪。麗麗的學習成績一直名列前茅，唯一一次失利是兩年前的期中考試，她因為身體不舒服而沒有發揮好，成績略微後退。這給麗麗留下很深的心理陰影，之後每次遇到考試，她總是焦慮萬分，感覺自己沒有發揮好。

在父母的溝通和引導下，她才明白，考完試心情不好，並不意味著成績不好；一次考砸也不代表著次次考砸。

很多時候，我們的焦慮情緒並非源於當下，反而可能由於過去一些不愉快的經歷造成。這些不愉快的回憶猶如一把枷鎖，束縛著我們的身心，讓我們在類似情境面前變得敏感和脆弱。好比麗麗，每次考試，她總能想到那次失利的經歷，就會變得異常緊張和焦慮。

所以，學會正視過去，區分當下的感受和事實之間的關係，不要讓過去的不愉快影響我們當下的判斷。

模式五：不能做到完美的事，就不值得去做

井先生是一名文案高手，自幼對文學就非常鍾愛和敏感。他堅信，文案貴在精準、不落俗套，要和品牌相得益彰。如果做不到，寫出來的文案就毫無意義。然而，在他的職業生涯中，幾乎沒有項目能夠如他所願。他太著急，期望太高，以致於在現實中屢屢受挫。結果，他總是對自己失望，做什麼事都提不起興致。

其實，很多焦慮者都有完美主義情結。在他們看來，做不到完美的事情，就不值得去做，但這種心理模式是完全錯誤的。因為在這個世界上，沒有什麼東西是真正完美的。即便如此，每件事情也有其獨特的價值和意義。我們應該學著接受這種不完美，接受人生賜予的遺憾。

以上五種心理模式會讓我們陷入思維的惡性循環當中。我們無法掙脫，所以才產生了焦慮情緒。

在他們身上，你是否捕捉到了自己的影子？或許你在井先生的身上看到了自己對完美的追求，也許你在安然的故事中看到了那個害怕被批評的自己。他們的

經歷和思維模式猶如一面鏡子，映照出我們不安的內心。

但不要擔心，即使看到了也沒有關係。這些思維模式都可以通過後天努力而改變。只要我們樹立信心，相信自己有能力改變這些不健康的思維模式，努力成為一個心理強大的人，填補內心的缺口，我們就能真正成為情緒的主人。

Chapter 3

正視焦慮：它不討喜，但並不可怕

焦慮並不丟臉，再厲害的人也會焦慮

焦慮感每個人都會有，
厲害的人只是更善於消解焦慮，而非不會感到焦慮。

「我這麼焦慮，肯定是因為我不夠強大，那些厲害的人，什麼都可以做得很好，他們就不會像我一樣焦慮。」

很多焦慮者都會有這樣的想法，將自己的焦慮一概歸因為自身還「不夠強大」，因此更加排斥自己的焦慮情緒，彷彿焦慮是一個可恥的弱點。而愈是排斥，焦慮就愈難以消散。在焦慮者看來，真正厲害的人是不會有焦慮情緒的，他們做事遊刃有餘，處變不驚，具有章法，只有像他們一樣，才能擺脫焦慮。

但事實真是如此嗎？只有弱者才會焦慮嗎？

當然不是。每個人的心底都居住著一隻焦慮貓，即使是強者也無法澈底擺脫焦慮帶來的困擾。

歐尼斯特・米勒爾・海明威是美國二十世紀最著名的小說家之一，一生中獲獎無數。他不僅在第一次世界大戰中被授予銀質勇敢勳章，一九五三年，其《老人與海》一書還榮獲普立茲獎，一九五四年，該書又榮獲諾貝爾文學獎。二〇〇一年，其作品《太陽照常升起》和《永別了，武器》被美國現代圖書館列入了「二十世紀一百部最佳英文小說」名單中。這樣一位以「文壇硬漢」著稱，堪稱「美利堅民族精神楷模」的人物，卻於一九六一年七月二日，在愛達荷州凱徹姆的家裡，使用獵槍自殺身亡。

對於海明威的自殺，坊間一直流傳著他死於憂鬱症或人格障礙等各種猜測，直到他的好友、劇作家艾倫・愛德華・霍奇納在英國《每日郵報》中披露，海明威其實是死於美國聯邦調查局（ＦＢＩ）之手，因為該機構懷疑海明威與當時古巴領導人卡斯楚有往來，於是安排了特工頻繁對海明威進行跟蹤和竊聽，這種行為使得海明威焦慮不已，以致心理崩潰而自殺。

可見，再厲害、再強大的人，都無法杜絕焦慮的產生。

因此，對於焦慮，我們首先要接受一個普遍事實：每個人都會經歷焦慮。焦慮並非異常，它只是一種正常的反應和情緒，關鍵在於我們如何對待它。只要我們及時、妥善地控制和調整焦慮情緒，就可以擺脫焦慮帶來的負面影響，使焦慮化為我們進步的動力。焦慮，可以是一個良性的鞭策，激發我們的潛力和效能。

而那些真正厲害的人，並非因為他們沒有焦慮，而是因為他們內心堅韌。當焦慮來襲時，他們選擇做焦慮的主人，用智慧和勇氣去駕馭它，而不是任由焦慮情緒蔓延，進而控制自己。正如香港富商李嘉誠所言：「**要克服生活的焦慮和沮喪，得先學會做自己的主人**。」

怎麼樣才能做焦慮的主人呢？

一、調整自己的個人預期

首先，我們應當接受自己沒有想像中那麼優秀，甚至沒有自己認為的那樣勤奮。如果別人比我們做得好，令我們感到焦慮，我們要做的是及時反思自身，努力迎頭趕上，而不是一味地怨天尤人。

其次，承認這個世界有一定的運氣成分存在。想通了這一點，就不會總是抱怨和奢求絕對的公平，高喊著付出就一定要有回報。

最後，明白困難和挫折只是成長和進步的一部分。盡己所能地追求最好的結果，同時做好心理準備，坦然接受最壞的結果。即便爭取不到好的結果，世界末日也不會來臨，我們仍可以選擇其他的努力目標或生存方式。千萬不能因為幾次失敗或打擊就一蹶不振。

記住：笑到最後的才是真正的贏家。

二、嘗試開誠布公地表達

有時候，人的很大一部分情緒來源於對未知的焦慮，這種焦慮大多只是人們自尋煩惱罷了。如果能夠開誠布公地表達自己的想法，或者勇於求證某件事情，問題就會變得簡單許多，能夠免去過度情緒內耗。

比如，在某次績效考核中，主管給自己的打分遠遠低於自己的預期，正確的做法不是心懷抱怨、憤憤不平想著要不要辭職或者揣測上司對自己是否有什麼成見，而是直接去找主管，就這次打分的標準進行開誠布公的交流。

當然，開誠布公的交流並不是要去質疑對方、埋怨對方，做無意義的比較，而是抱著學習的態度，希望對方指出自己可以進步的空間，為自己提出改進的方向。

三、學會辯證地看待問題

同樣一件事情，在不同的人眼裡，可能樣貌完全不同。這是人與人之間認知差異造成的結果。

比如，同樣是新人，老闆給了一個比較難的項目，悲觀的人認為是老闆故意刁難自己，所以安排一個難的專案逼自己走人，也會因為缺乏經驗和信心感到焦慮。但樂觀的人卻認為老闆能夠信任、賞識自己的能力，給自己機會和挑戰而感到高興，不但不會焦慮，還因此充滿鬥志。

看，同樣的機會，放在不同的人面前，有人看到了未來和挑戰，有的人卻只能看到現狀和挫折。局限於自己的認知，陷入悲觀、焦慮的人，稍微碰到一點困難和挫折就自我否定的人，很難成為焦慮的主人，在職場上也很難晉升。

因此，想要擺脫焦慮，最根本的還是要改變和提升我們的認知層次。認知提升了，我們才能夠從容面對生活的挑戰和不確定性，才能主宰自己的情緒，做焦慮的主人，讓焦慮成為我們人生路上的動力源泉。

化解焦慮的攻擊力

焦慮的攻擊指向內和外，主動化解才能及時止損。

對現代人來講，焦慮似乎成了心裡的常住客。在壓力重重的環境裡，為生活忙碌奔波的人，又怎能完全擺脫焦慮的糾纏呢？我們或許已經接受焦慮是生活的一部分，但也需要警惕並化解焦慮的攻擊力。因為還是有很多人無法控制這隻貓咪，時不時受到它的糾纏和攻擊。

來聽聽一位焦慮者的自白：「有天晚上，我無意間看到老公的手機裡有一條異性發來的關心訊息，於是找他理論。雖然他解釋了，但我還是不相信，覺得他一定有外遇了。有幾次我打電話給他，他都沒有接，一定是和別的女人約會去了。是我不夠好嗎？還是他對我厭倦了？為此我們倆經常吵架、冷戰，我甚至想跟他離婚！」

焦慮確實有這種神奇的力量，會讓人對生活中的小事做出災難化的判斷，並信以為真。這種持續的惶恐和不安，不僅打亂了我們內心的平靜，甚至還可能激發我們的攻擊傾向。

什麼是攻擊傾向？為什麼我們總是焦慮、恐懼，攻擊自己和別人呢？

攻擊傾向是準備對他人發起攻擊的心理特徵，是存在於人格中對他人產生攻擊行為的意圖，即潛在性攻擊。

它是一種本能，在得不到合理控制和宣洩的情況下就表現為攻擊行為。這種攻擊性會帶來什麼後果呢？

研究表明，長期處於過度焦慮狀態的人，他們的攻擊性不僅體現在與人交往中的暴躁、易怒、對別人斤斤計較等行為上，還會使他們產生嚴重的內耗，以致自我懷疑，甚至會威脅到他們的身心健康。

處於焦慮中的人，會無意識地把攻擊性的心理能量轉向自身。自己在受到攻擊後就會感覺不適，為了緩解這種不適，他們會向自身傾注更多的攻擊性心理能量，試圖平復內心的動盪。然而，這種做法進一步加劇了心理上的不適感，形成愈是掙脫愈感覺被束縛的惡性循環。

比如，一個人在工作中遇到了困難，他感到有壓力，開始焦慮。在焦慮的影響下，他開始懷疑自己的能力，覺得自己不夠好。自我否定和質疑使他將攻擊性能量轉向自己，認為自己是問題的根源。為了緩解這種感覺，他可能會更努力地工作，試圖以此證明自己。而這種做法往往只能導致他感到更加挫敗和疲乏，無法平靜下來客觀看待問題，不僅不能解決問題，反倒加劇了心理上的不適感。

這類人經常會有以下這些想法：

「為什麼我會說這些」

「我不夠好」

「我是一個糟糕的朋友」

「為什麼我不能控制自己的情緒呢？」

「我做不好」

「我在浪費時間」諸如此類的想法，陷入無限的自我攻擊中……

在心理學中，有一個非常著名的「踢貓效應」：一位父親在公司遭到了老闆的批評，心裡很煩躁，回到家後，把在家裡搗蛋的孩子臭罵了一頓；孩子莫名其妙地挨了罵，心裡不舒服，為了發洩自己的情緒，他踢了身邊打滾兒的貓一腳；貓跑到街上，迎面而來的卡車為了躲避突如其來的貓咪，撞傷了路邊的一個孩子。

在日常生活中，你是否也有過類似體驗？在你焦慮或者受挫，內心處於憤怒狀態時，會有一種想要攻擊或傷害身邊事物的衝動（雖然不一定要表現出來），這就是焦慮情緒對外釋放的攻擊力。

不僅如此，焦慮情緒的攻擊力還影響著我們的生命健康。長期的焦慮如同一場沒有硝煙的戰爭，一點點侵蝕著我們的免疫系統，使其變得脆弱不堪，毫無招架之力。而那些被壓抑在潛意識裡的情緒如果沒有得到及時的釋放和處理，就會在身體裡累積，引發身體緊繃、痠痛以及其他阻塞現象。長久下來會導致內傷、細胞病變或其他疾病。

焦慮讓身體進入乾燒空鐵壺的狀態，一點點消磨掉人的心力，讓身體變得疲憊不堪。

總之，焦慮不僅有對外的攻擊性，還會對我們的身心健康產生威脅。

那麼，怎麼做才能化解焦慮的攻擊力呢？

妙招一：找到攻擊的源頭

過度批判自我，並不會給自己帶來真正的鞭策，反而會讓我們愈來愈不知所措。為了走出這種困境，我們首先需要做的是，找到攻擊模式的最初源頭，然後對症下藥。

有的人之所以習慣自我責備和攻擊，可能是因為從小到大他們就處於一種被責備的環境中。比如，當你考得不好時，父母和老師就會責怪你，讓你產生羞恥感。這種模式會漸漸地在你的人格中內化，成為自我認知的一部分。

長大後，如果有一件事沒有做好或受挫，就很容易攻擊這個感到羞恥的自己，讓自己再次沉浸在痛苦的體驗中。這種自我攻擊的源頭其實來自童年創傷，我們需要做的是療癒內在小孩，讓他得到安慰，放下一切無助和攻擊。

這是一場持久的拉鋸戰，需要我們用耐心和勇氣來應對。但也只有通過這樣的方式，真正釋放自己，才能甩開那些束縛我們的舊有模式，找回內心的力量。

妙招二：正視自己的需求

焦慮的來源之一是需求未被滿足。有時候人之所以焦慮，並帶有對內或對外的攻擊性，可能是因為我們的需求沒有得到自己或者他人的重視和滿足，因此才導致了心理的空缺和不足。

這時，我們需要做的就是自我接納，正視自己的需求，比如被關心的需求，被人認可的需求等。每種需求都是我們內心最真摯的呼喚，反映著我們的意願和期待。

正視自己的需求，並學著表達自己的需求，尋求滿足的途徑。同時，我們也要練習即便需求沒有得到滿足，也要擁有內心平和的能力。如此，我們才能擺脫焦慮的困擾，找回健康的心態。

妙招三：合理宣洩，管理情緒

當焦慮貓上竄下跳，讓你不得安寧時，最重要的是不要壓制它。因為長期壓抑情緒，那些被你拒絕、逃避的情緒慢慢累積在一起，最終突破情緒的臨界點，以更加猛烈和具有破壞性的方式爆發出來，為你帶來更大的困擾。

因此，合理宣洩情緒很重要。找到適合自己的宣洩方式，比如跑步、運動、放聲大喊、唱歌等。另外，要學會管理情緒，理解和接納自己的情緒，理性思考和控制自己的行動。

當然，這很難，所以剛開始的時候我們可以從簡單的步驟做起：當發現自己無法控制的焦慮情緒要釋放出攻擊性時，我們先努力讓自己停下來，深呼吸，什麼都不想，慢慢控制自己的情緒。透過這樣的練習和嘗試，就能慢慢學會和情緒和平相處。

妙招四：尋求幫助，獲得安全感

安全感缺失也會使我們產生焦慮情緒。那些長期得不到關愛和照顧的小孩，會下意識覺得自己不夠好，產生自我攻擊行為。因此，要學會主動尋求自己信賴之人的幫助，這個人可以是家人、朋友，也可以是諮詢師、老師等。與他們積極溝通，感受他們的關心、理解和幫助，獲得安全感，化解自己的焦慮情緒和攻擊傾向。

化解焦慮帶來的攻擊力，關鍵在於對焦慮情緒的管理，這並非一朝一夕的事，需要我們持續堅持和鍛鍊。及時反省檢查我們的情緒反應，總結經驗教訓，才能夠戰勝攻擊傾向，活出充滿正能量的人生。

用對方法才能有效擺脫焦慮

解決焦慮需要正確的應對思維，
盲目掙脫，只會讓焦慮愈演愈烈。

當焦慮貓肆無忌憚地攪擾你的內心，甚至向你發起攻擊時，大多數人的第一反應是拚命反抗、掙脫，這反而會讓這隻貓咪更加不安分，攻擊力更強。這是為什麼？

因為你控制它的方式錯了。

一位智者看到死神向一座城市走去，通過對話，智者得知：死神將要帶走城市中的一百個人。於是，智者搶在死神之前到達了城市，並提醒他遇到的每一個人死神的到來。結果第二天，死神帶走了一千個人。智者質問死神，死神卻說：「是焦慮帶走了其他那些人。」

可見，焦慮是如同死神般的存在。面對焦慮，我們必須尋找有效的掙脫方式，用正確的方法去撫平焦慮，否則，只會惹怒焦慮貓，讓問題變得愈來愈糟。

下面是人們在應對焦慮時常犯的一些錯誤：

錯誤一：相信自己可以獨自擺脫焦慮

遇到問題尋找出路是人們的慣性思維，人們也總是傾向於獨自解決問題。但是對於身處焦慮狀態的人來說，焦慮本身猶如一片迷霧重重的迷宮。愈是努力思考擺脫焦慮的方法，反倒愈容易加重焦慮，在迷宮中徘徊，失去前行的方向，甚至迷失自我，難以掙脫。

應對錦囊：列出自己的選擇。

列出自己的選擇，把所有可能性梳理清楚，讓自己的親人朋友參與其中，幫助我們消除一些過於焦慮的想法與不合適的選擇。我們有了清晰的空間與視角，才能在眾多選擇中做出最佳的決定。

錯誤二：暫停生活中的其他事情，只關注讓人產生焦慮的事情

被焦慮困擾的我們，會產生一種無法擺脫的緊迫感，這種緊迫感催促著我們把注意力全部用在應對焦慮上，忽略了生活中的其他事務。一旦讓焦慮占據我們大部分的生活精力，問題不僅無法得到解決，反而如滾雪球般愈滾愈大，生活也會變得一團糟。

應對錦囊：繼續自己的生活。

繼續經營自己的生活，繼續著手自己想做的事情，投資自己，投資未來，維持人際關係，讓自己獲得足夠的滿足感、自信心，這對焦慮來說就是最好的打擊。

錯誤三：只相信外部力量，不相信自己

人們在面對焦慮時，往往會過度依賴外部力量，如朋友的開導、醫學的治

療，相信外部治癒力量，卻往往忽略了一個重要的事實：我們自身的主觀情緒會影響焦慮的狀態。如果內心始終充斥著消極情緒，不信任自己，那麼不管外界如何努力，都很難擺脫焦慮的困擾。

應對錦囊：提高自我效能感。

無論身處何種困境，都要相信自己的能力，堅信自己能夠戰勝困難。尤其是在焦慮面前，要提高自我效能感，堅持科學導向，學會正確歸因。只有充滿自信心，才有足夠的勇氣和本錢面對焦慮。

錯誤四：批評自己，反應過度

生活中，人們總是會關注一些細枝末節，並主觀推斷出某種可能的結果。然而，一旦證明這個結果是錯誤的，又會轉過頭來責備自己的愚蠢，過度批評自己。如此反復，焦慮情緒便會產生。

應對錦囊：樹立正確的自我認知，注重自我肯定。

沒有人是完美的，無論如何，人總會犯錯。不要太過苛責自己，不要過度強調自己的錯誤，多看看自己的優點和長處，積極評價自我。通過培養積極的思維方式和正確的自我認知，減少焦慮的產生，讓生活更加輕鬆。

錯誤五：認爲沒有焦慮情緒，生活會更好

艾德蒙．伯恩和洛娜．加拉諾在《應對焦慮》一書中提到，人們常常陷入一種扭曲的思維方式，認為沒有情緒上的焦慮，我們的生活將會變得更好。但是這種思維方式存在因果關係的錯誤。

焦慮本身並不會限制我們的生活，生活從來都是取決於我們自己的心態和行動。沒有焦慮的生活並不等於完美的生活，而即使生活中存在焦慮，也不代表著它會被焦慮摧毀。

應對錦囊：克服錯誤思維方式帶來的焦慮。

不適感是開始有意義生活的必經之路。我們所追求的生活，需要我們付出努力，而這種努力絕非以消除焦慮為唯一前提。

一個充實的人生，充滿了目標、成就、愛與奇蹟，這些並不是只有擺脫焦

慮才能實現的。生活的美好，從來不受焦慮的約束。只要我們形成正確的思維方式，就沒有什麼能夠阻止我們追求美好生活。即使帶著焦慮，只要我們保持積極的心態，也能讓生活遍地開花。

一項心理學調查表明，科技的進步與發展，雖然提高了我們的生活舒適度，但也給人們帶來了各種情緒問題和心理疾病，這方面的患病率也顯著上升。

在當今的快節奏生活下，雞毛蒜皮的小事也會讓我們暴跳如雷、情緒崩潰。每個人好像都繃著一根弦，焦慮無處不在，使我們無法慢下來、靜下來。

其實，焦慮是人類與生俱來的情感反應，適當的焦慮情緒是正常的。我們要注意的是防止自己長期陷入焦慮的狀態，努力降低患上焦慮症的風險。

總的來說，應對焦慮的最好方法是轉變思維、轉移注意力。停止錯誤的思維方式，加強鍛鍊、培養愛好、簡化生活，體驗令人愉悅的事情。如此我們才能正視焦慮，直接面對問題，這樣，我們才能真正地凌駕於焦慮之上，擁抱自由的生活。

焦慮讓你感覺自己很糟糕

常常感覺自己很糟糕？
這其實是焦慮在作祟。

我們身處在一個焦慮的時代，「焦慮」一詞無處不在，容貌焦慮、學歷焦慮、身材焦慮、資本焦慮……「焦慮」已經成為人們自我調侃、自我懷疑的口頭禪。

我們討厭不安分的焦慮貓，討厭它擾亂我們內心的秩序，在與它糾纏的過程中也會不自覺地認為自己很糟糕，甚至間歇性地陷入消極情緒，討厭自己、厭倦生活。

焦慮的我們為什麼會懷疑自己、審視自己，認為自己糟糕極了呢？

首先，在我們的主觀認知中，焦慮本身就是一種負面情緒。

不合理的、破壞性的、厭煩的，這些對焦慮的評價反映著人們對焦慮的抗拒，即使焦慮是每個人都有的情緒。

事實上，在達爾文的《人和動物的感情表達》一書中我們可以了解到，憤怒、恐懼、焦慮等情緒是人們生產的工具，它不僅能夠保護人類成長，還能夠提供資訊讓人們提前做好準備。因此，不必因為焦慮的存在而懷疑自己，焦慮也有積極的一面。

其次，焦慮會讓我們過分在意外界的評價。

關注別人的看法，將會成為別人的奴隸。外界的聲音有時並非是善意的，來自外界的評頭論足也不應成為束縛我們的枷鎖，困在由別人看法所築起的牢籠裡，本身就是一種悲哀，「在乎他人的意見勝過在乎自己的」更是一種痛苦。同時，人愈是在危急的時候，愈容易喪失對資訊的判斷能力。

相反，我們應當謹記大衛．福斯特．華萊士在《無盡的玩笑》中的名言：「當你認識到別人很少想到你之後，你就不怎麼關心別人怎麼看你了。」

拒絕評價、拒絕焦慮、拒絕胡思亂想，自由的鑰匙握在自己手中，做好自己才是生活的根本。

再次，在不斷與他人的比較中丟失自信心，焦慮的同時也讓自己感到糟糕。

「與別人比較，是悲慘生活的開始。」

「生活中的許多煩惱，都源於我們盲目和別人攀比。」

「人生中百分之八十的煩惱，都來自比較。誰更好看、誰更有錢、誰有車有房、誰的社會地位高……」

「將自己的生活擺在一個不斷與人比較的困境中，是一種痛苦，更是一種悲劇。」

我們過得幸福與否，其實與他人無關，把眼光放在自己身上，享受自己的人生，把握自己的節奏，才能在自己的生活中如魚得水、幸福自足。如果處處與人比較，生活將變得滿目瘡痍。

最後，無法應對生活中的各種壓力，也會感覺自己很糟糕。

生活中的各種壓力是焦慮的來源，也是認為自己糟糕的感受來源。當一個能夠消除生活中全部壓力的按鈕擺在我們面前時，到底應不應該全力按下？沒有壓力的人生真的會幸福嗎？

《EMOTION期刊》曾對兩萬多名不同年齡段的人做過一項調查，結果顯示，沒有壓力的人或許會有更高的幸福感，但他們的認知功能卻不如有壓力的群體。適當的壓力甚至有益於大腦健康。

我們要正確看待壓力。壓力只是外界投射在我們內心的影子，它本身並非實質性的負擔，如果我們過度關注與擔憂它，就很容易深陷其中，無法自拔。實際上，壓力並非壞事，「扛不住的才是壓力，扛得住的就是成長」，把壓力轉化為動力，把目光投向前方，才是正確的應對方法。

正如丹麥的一位哲學家所說，誰學會了以正確的方式對待焦慮，誰就掌握了人生的終極奧義。那麼，到底如何擺脫焦慮帶來的這種糟糕感覺呢？

最重要的是要學會與焦慮好好相處，以正確的方式應對焦慮，學會「使用」焦慮，實現良性循環。

良性的焦慮循環分為三個步驟：傾聽、利用、放手。傾聽讓我們了解焦慮的內容，正視自己的恐懼和不安；利用在焦慮中尋找到的資訊，激發內動力；放手無意義的焦慮，擺脫無用的干擾。通過這三個步驟，我們才能達到「使用」焦慮的目的，讓焦慮與我們和諧共生。

不可否認，焦慮會讓我們難受、痛苦、不安、恐懼，會讓我們覺得自己糟糕透頂。但只要停止臆想，停止無意義的焦慮，我們就能與焦慮成為盟友，創造屬於自己的價值。而這種價值也會讓我們不再迷茫，不再自我懷疑，不再感到糟糕。無論是考試失利、投標失敗，還是容貌不完美、身材不完美，我們終會逐漸接受自己、放過自己，與自己和解，成為自己生活的主角。

Chapter 4

焦慮特徵：焦慮貓的各種情緒化樣子

生氣貓：躲開，請留神

焦慮與生氣如同一枚硬幣的兩面，相輔相成，相互依存。

你是個容易生氣的人嗎？

在非洲草原，生活著一群吸血蝙蝠，牠們會叮在野馬的腿上吸食血液。奇怪的是，儘管這些蝙蝠吸食的血量並不多，但被牠們吸食血液的野馬卻有不少會死去。後來人們才知道，令野馬死去的罪魁禍首並不是這些蝙蝠，而是被蝙蝠煩擾後暴怒、狂奔的野馬自己。這種奇特的現象，我們稱之為「野馬結局」。

「野馬結局」其實也是很多人的現狀和寫照。生氣貓在我們的生活中從不缺席。

對焦慮來說，生氣是最好的面紗。

人們在面對威脅時，往往會處於一種「焦慮不安」的狀態，生氣同樣也會導致這種狀態的產生。生活中有太多事情達不到我們的心理預期，無論是不盡如人意的工作，還是恰好錯過的公車，這些令人難以接受的結果，都可能會引發我們的焦慮和生氣。

值得注意的是，焦慮與生氣可以說是一枚「情感硬幣」的兩面，生氣是焦慮的表現之一，它們之間相輔相成，相互依存。

憤怒是焦慮情緒的一種表現形式，並非解決問題的途徑。憤怒可能會給我們帶來短暫的解脫感，但焦慮的根源並沒有消失。當我們深陷憤怒時，內心的焦慮也被暫時遮蔽，這導致我們往往忽略了憤怒與焦慮的聯繫，而正是因為憤怒掩蓋了焦慮，才讓我們在不知不覺中積累更多焦慮，直到它爆發，我們才恍然大悟。

生氣於我們而言，有百害而無一利。都說「氣大傷身」，身體得的病，很多都是氣出來的。毫無疑問，生氣只能為我們帶來傷害。

生氣時，我們會下意識地進入一種「作戰狀態」，在這種狀態下，我們的大腦變得非常敏感，失去對周圍人準確的認知，無法理性、清晰地思考。此時，我們的憤怒情緒就成為我們主動走向過分焦慮的起點。生氣是一種具有破壞性的負面情緒，會破壞內心的平靜。

心理學中有一個很出名的判斷，叫費斯汀格法則。這個法則指出：**生活中的百分之十由發生在你身上的事情組成，另外百分之九十則取決於你面對這些事情時的反應**。如果你心態穩定，就會萬事順遂；如果你總是生氣、憤怒，無法釋懷，事情就會愈搞愈糟。

如果我們試圖用憤怒來逃避生活中的不愉快，它就會讓我們變得偏激、衝動、魯莽、不理智，憤怒的我們也容易產生極端的想法，甚至做出極端行為。類似的悲劇早已屢見不鮮，比如，因為乘客和司機產生爭執而引發的交通事故，已經不知道有多少起了！

所以，生氣不但不能解決問題，還會惡化焦慮情緒。對於焦慮的我們來說，控制好自己的脾氣、少生氣，才是應對焦慮的正確法門。

一、主動尋找舒緩放鬆的方法

愛默生說：「每生氣一分鐘，六十秒的幸福就會離我們而去。」想要控制好脾氣，就要主動尋找適合自己的放鬆方法，及時舒緩自己的情緒。從放緩呼吸開始，去做能讓你靜下心來的事情，比如練字、畫畫、讀書、跑步等，讓時間來慢慢撫慰自己。

二、通過觀察思考轉移注意力

暫時把精力從令你焦慮的事情上轉移開，將其放在周圍美好的事物上，發現生活中的「小確幸」。去聽、去聞、去觸碰，去觀察生活、思考人生。當你不再關注已經發生的事情，也許就不會生氣了。

三、採取行動前先考慮後果

隨時捫心自問，你的行動真的能夠讓事情變好嗎？你的所作所為你能承擔後果嗎？如果你還沒辦法做到心平氣和地去面對，那晚些再面對也無妨。

四、重新定義自己的生活態度

有一個小故事，寒山和拾得都是有名的詩僧，有一次，寒山受人欺辱，十分氣憤，便問拾得如何對待他人的誹謗、輕賤之語。拾得回答只需忍讓、迴避、敬而遠之，再待幾年，他人會有自己的報應。

這種做法其實就是轉換思考角度。轉換思考角度不是欺軟怕硬，而是讓自己不必多計較外在的得失，不受外在環境的影響，調整自己的生活態度，保持良好的心態，焦慮自然也就少了。

五、把重點放在解決問題上

在問題面前，我們要將關心重點放在如何高效解決問題，而不是為自己或別人的愚蠢而生氣、憤怒。問題解決了，憤怒的情緒就會蕩然無存。

日出東海，又落西山，怒是一天，喜也是一天。要知道，盛怒之下，沒有贏家，氣在心裡，傷在身體，得不償失，因小失大，最後只剩下狼狽不堪的自己。

湯瑪斯．傑弗遜說過：「當你快要生氣時，在開口前默數到十；如果依舊很憤怒，那就數到一百。」

憤怒是一個迴旋鏢，當你利用憤怒來躲避不愉快的焦慮情緒時，當你以為自己只是發脾氣而並不焦慮時，現實就會給你一個慘痛的教訓。所以，請善待自己，胸懷寬廣，少生氣，多在意自己。

驚恐貓：乖，摸摸頭

保持積極心態，事物的發展，自有它的規律。

艾佳是一名幼兒教師，在父母的安排下，她認識了保險推銷員張波。在鮮花與溫情的告白中，艾佳逐漸對張波愛得死心塌地。張波每天按時接送艾佳上下班，晚上一起吃飯、看電影，時不時還會給艾佳的父母買點小禮物。

然而，三個月之後的某一天，張波對艾佳提出分手，且刪除了艾佳及其親友的聯繫方式。三個月的甜蜜時光，讓艾佳及其父母對張波深信不疑，以至於從張波那裡購買了多份保險。艾佳心裡很難受，她去保險公司詢問，得到的答覆是張波已經離職了。

艾佳很想哭，可就是哭不出來。剛開始，她每天還能照常上下班，可是堅持了一個月左右，整個人的情緒就非常糟糕了。尤其是站在幼稚園門口接送學生時，看著熙熙攘攘的人群，她內心經常會莫名感到一陣恐慌，嚴重時甚至站都站不穩。

她去醫院做了一系列檢查後，醫生有了判斷——驚恐發作。

其實，艾佳的這種心理上的脆弱感，並不是遇到張波後才產生的。艾佳的父親是一名列車司機，母親是列車員。為了讓孩子有相對穩定的生活，艾佳父母將她留給了奶奶照顧，直到國中二年級時，艾佳才回到父母的身邊，但之後她與父母也是聚少離多。在這樣的成長環境下，艾佳內心極度敏感缺愛，缺乏安全感。

張波的突然消失，勾起了她過去的記憶，焦慮感、不安全感加重，當她置身於家長群體面前時，總覺得有人在用異樣眼光看著她：看呀，她被男朋友拋棄了，她不值得被愛。這種猜疑一旦加重，就很容易引發驚恐心理。

通過科學治療，艾佳的驚恐心理逐漸緩解，一段時間後，艾佳走出了內心的陰霾，重拾對生活的信心和勇氣。

當驚恐發作時，我們要如何自救呢？

一、學會覺察，找到誘因

我們要學會覺察，驚恐發作時，內心的焦慮屬於哪一種狀況？是什麼事情或者什麼聲音，擾亂了我們靜如止水的心？找到了影響生理及心理狀態的因素，識別出壓力來源，就可以「對症下藥」了。

二、改變可能導致焦慮和驚恐發作的生活方式

長期熬夜、過度疲勞等不良生活方式，都有可能引起驚恐發作，改變不良生活方式尤為重要。所以，平時要養成定期鍛鍊、規律飲食、按時作息的習慣，減少驚恐發作的頻率。

三、控制驚恐發作

都說活到老學到老，尤其是那些能夠運用於生活的理念、意識、方法等。我們要學習控制和消除驚恐發作的技巧，只有掌握了方法和技巧，才能夠控制自己

的言行和情緒。

比如可以通過放慢呼吸、轉移注意力等方式來應對驚恐發作，或者是勇敢直接面對驚恐發作，並記錄下自己的真實體驗。通過不斷地嘗試和調整，就能夠找到適合我們自己的控制方法，使我們在人生路上走得更加從容和自信。

想飛貓：誰沒有夢到過翅膀呢？

空想是焦慮的溫床，
持續行動，才是一切的解藥。

縹緲的夢想墜落後會成為焦慮貓的催化劑，讓它迅速膨脹，破壞力更強，並向那個始終在原地踏步的你，伸出鋒利的爪子。

一天下午，張晶偶遇大學同學朔玟。

五年未見，朔玟幾乎沒有什麼變化，俊俏的臉始終洋溢著陽光般的笑。

兩人找了一家咖啡廳坐下。朔玟告訴張晶，大學畢業之後，她一直在出版社工作，現在已經是一個編輯部門的負責人，手裡有幾個當紅的作者。

張晶羨慕地看著她，說道：「真佩服妳，竟然在一個行業待了這麼久。我已經換了三份工作了，但直到現在我都覺得不是自己想要的。」

朔玟一邊攪拌著咖啡，一邊說：「剛開始的時候，我也總覺得工作和想像中的不一樣。在我的想像裡，出版行業應該像電視劇裡演的那樣，每天打扮得光鮮亮麗，接觸的都是大作家、大明星，動不動就有百萬冊的銷量，時不時地參加行業聚會、頒獎典禮什麼的。現實和想像的落差太大，導致我前兩年總是搖擺不定，東想西想，感覺自己入錯了行。那段時間非常痛苦，很焦慮，頭髮大把地掉，整夜整夜地失眠。」

朔玟喝了口咖啡，繼續說：「後來我想通了。即便電視劇裡演的是真的，那也是需要行動和積累的。光憑想像，這樣的生活永遠不會落在我身上。於是，我靜下心來，考了相關證照，向有經驗的老編輯學習，也不再亂想一些有的沒的，才慢慢走到了今天。路嘛，就是這麼一步步走出來的。」

前幾年的朔玟之所以會焦慮，是因為她想像中的出版行業和現實差距過大，又只一味地空想，沒有付諸行動。幸好，她最後放下徒勞的空想，踏踏實實充實自己，持續學習，最終完成了蛻變。

即使前進的速度很慢，但是只要持續行動，總能到達終點。如果只是空想，卻沒有任何的計畫和動作，夢想就永遠不可能實現。

一隻想飛的貓，心裡裝著廣闊天空，當然不會甘於平庸。但是，夢想如果只是空想，就是焦慮的溫床。最關鍵的是持續行動，這才是一切的解藥。

電影《中國合夥人》中有句台詞說得很好：「年輕的時候，不該什麼都不想，也不能想太多，想得太多會毀了你……」

與其在原地擔心和猶豫，還不如勇敢邁出第一步，然後一切都會變得簡單和明朗。

只有持續行動才能解除焦慮。有夢想就行動，行動後就去堅持，願每一個有夢想的人都能找到屬於自己的路。

低落貓：為它找到藏身之處

焦慮的我們總是會產生低落的情緒，
收拾好自己的低落，是治療焦慮的良藥。

你經常感到情緒低落嗎？感冒發燒、情感矛盾、工作不順……這些都是情緒低落的來源。在這種心理狀態下，我們很容易感到沮喪、無助、消極，覺得生活失去了樂趣，不再抱有希望。而這也進一步助長了焦慮的火焰。

面對生活中的挫折，會陷入一種焦慮痛苦的狀態，這是正常的心理反應，一般不會持續太長時間，也不會影響我們的日常活動。但是，如果不及時調節，任由自己長時間陷入情緒低落中，則會對我們產生極大的傷害。

比如，長時間的情緒低落會增加患上抑鬱症的風險。患有抑鬱症的人不僅精神上消極、內心痛苦，還會影響身體健康。對他們來說，甚至吃飯時的每一次咀嚼和吞嚥都是負擔。很多人都忽略了一點——抑鬱症其實就是從長久的情緒低落、無限的孤獨無助開始的。

長時間的情緒低落除了會導致抑鬱症，還會帶來內分泌失調、失眠、焦慮等不良症狀，使人患上甲狀腺疾病、肺部疾病等。情緒低落的危害，遠超你的想像。因此，面對低落的情緒，一定要提高警惕，及時止損。

遠離情緒低落，可以從以下幾個方面著手。

一、製造快樂

快樂是什麼？

快樂是生活中的點點滴滴，是藏在我們身邊的小美好。現實生活中，心裡那些說不清、道不明的心緒，總會讓人迷茫、低落。對此，我們不妨直接對症下藥，讓快樂填充我們的生活，奪走我們的注意力。

比如，喜歡日出的絢麗色彩，就去看日出；喜歡大海的水天一色，就去看大海；或者去吃好久沒吃過的美食，去看好久沒見的心上人。**追風趕月，熱烈且堅定，永遠是針對低落的特效藥，是治療焦慮的良方**。

二、自我欣賞

學會自我欣賞是人生的必修選項。

「我今天真的好漂亮。」

「我今天的穿搭很完美。」

「我做的飯好好吃。」

「我的眼光真不錯。」……

肯定自己、欣賞自己是治療情緒低落的良藥。夜來香的盛開是為了取悅自己，我們也當如此，學會自我和解，忘記煩惱，自我欣賞，自我成全。

三、釋放情緒

弦繃得太緊就會斷，釋放情緒正是為了讓我們的精神得到放鬆。心情低落時，不妨試試語言暗示法、動作暗示法和情境暗示法。

語言暗示法是指通過大聲朗誦、唱歌等方式釋放自己的情緒。動作暗示法是指採用深呼吸、搖擺身體、散步等動作來釋放低落的情緒。情境暗示法是指換一個環境來刺激情緒，比如去旅行。

情緒低落、焦慮的我們要學會時刻保持鈍感力，做情緒的主人，這將是我們面對「敵人」時最大的武器和力量。

四、看淡得失

我們都聽過塞翁失馬的故事，生活就是這樣，總是在邊獲得邊失去之中走下去。一個人不可能擁有所有的好事，但也不會塞滿不幸之事。常言道，人生不如意之事十有八九。看淡得失，只看一二，不想八九，才能在絕望中邂逅美景，才會遠離情緒低落，自在生活。

五、獨立生存

宮崎駿曾說：「**不要輕易去依賴一個人，它會成為你的習慣，當分別來臨，你失去的不是某個人，而是你精神的支柱，無論何時何地，都要學會獨立行走。**」

每個人都是獨立的個體，清醒而獨立才能立於不敗之地。女強人董明珠的故事是最好的詮釋。在丈夫去世、突遭變故後，她咬牙堅持，獨自撐起一個家，最終從一名基層員工走到了董事長的位置。面對記者的提問，她表示，自己的成功源於她敢於獨立，敢於承擔後果。

我們應該明白，真正的強大源於內心的獨立和勇氣。有時候，情緒低落的背後是對自己的不滿和對未來的迷茫。所以，不如就此打起精神，去找一份薪水可觀的工作，掌握一門謀生的技能吧。只有擁有處世的資本，才有面對焦慮的勇氣。

六、珍惜當下

文學家沈從文說：「我們相愛一生，但一生還是太短。」一生很短，更別提還有錯過沿途風景的可能。生活被低落的情緒填滿，不僅會讓我們錯過太陽，也會錯過繁星。只有珍惜當下，珍惜每一分每一秒，積極生活，拒絕情緒低落，才是對自己最大的溫柔。

每一種情緒的存在都有原因，它的背後是我們心中的追求，與其把情緒低落當成敵人，不如把它當成信使，去識別這種情緒的根源，去挖掘它、瓦解它，讓焦慮無處依存。

一個人如果能妥善安放自己的低落，那它就能勝過國王，因此，請對情緒低落大聲說「不」！

成長貓：長大都要付出代價

焦慮，是成長最大的代價。

小時候的我們，覺得自己是世界的主角，盼望著長大，永遠沒有煩惱。長大後才發現，煩惱和焦慮是我們長大所付出的最大代價。

在我們的認知裡，「長大」是指個子的增高、年齡的增長。但長大哪有這麼簡單？在長大這條路上，我們始終都在不停地經歷接受。我們接受了知識灌溉，接受了品德薰陶，也接受了情緒的百般滋味。而隨著見識愈多、經歷愈多，我們逐漸被數不盡的煩惱所困擾，焦慮也開始跟隨著我們，可能是學業焦慮，可能是容貌焦慮，可能是工作焦慮……

焦慮是我們走進成人世界的大門鑰匙，這把「鑰匙」給我們的未來帶來了哪些作用和影響呢？

一方面，焦慮是成長必須服用的「膠囊」，它推動我們主動面對生活中的困難。一位著名心理學家提出「有焦慮，就有動力」。他認為，焦慮是人格內正在激戰。持續的「戰爭」能夠幫助我們找到最終的解決方法，「不戰而降」反而會導致負面情緒的爆發。可見，焦慮也是我們成長的「導師」，是我們主動改善處境的動力，是生活前進的助推力。

另一方面，焦慮會給長大帶來一些「副作用」，讓成長變得痛苦。焦慮本身是一種情緒狀態，可能是害怕、低落、緊張、脆弱……過度的焦慮會瓦解一個人的意志，摧毀生活的希望，這也是為什麼有愈來愈多的人患上了焦慮症。除了精神上可能帶來的負面影響，它對我們的身體也有很大危害，比如會造成長期的失眠，影響身體的健康發育，增加癌症的發病率，甚至提高死亡的可能性。

對成為大人的我們來說，學會妥善安置自己的焦慮，是人生順利前行的通行證。

直視焦慮是成長的必修課

人的本性就是趨利避害。面對焦慮時，這種本性驅使著人們下意識地想要躲避，因為焦慮常常伴隨著緊張和煩惱，成為我們成長路上的絆腳石。

尤其是在我們急於成長的階段，常常想憑藉自己有限的知識去解釋未知的領域，結果卻因為受到各種條條框框的束縛，導致生活愈來愈僵化，無法靈活應對挑戰。

這種僵化不僅增加了我們的煩惱，更讓我們陷入無處安放的焦慮之中。因此，只有直視焦慮，正確認識自我，才能超越自我，活出更高的境界。

讓焦慮成爲成長的跳板

有時與焦慮相伴的是對生活的希望，在這種情況下，學會利用焦慮是最有效的應對方式。利用焦慮，包括三步：

1．主動辨別焦慮背後的原因，並將其設為下一階段的目標；

2．分解目標，拉長戰線；

3．制訂詳細的行動計畫。舉個例子，當你拿到一項有難度的工作時，首先需要確定專案的困難點在哪裡，其次進行目標分解，最後制訂解決計畫，逐一攻克。

主動控制焦慮的程度，讓成長的煩惱最小化

當你感到焦慮已經成為威脅時，就不得不去學習控制、緩解它。

焦慮像一隻難以掌控的古怪小貓，控制焦慮需要多種方法並行，比如進行人際關係的斷捨離，遠離讓自己焦慮的人際關係；進行強制性的時間管理，完成每一項待辦事務；清空自己的大腦，給自己獨處的時間；定時運動、散步，發洩自己的情緒等。

學會質疑焦慮

焦慮是我們對未來的猜想，我們總會一不小心就把它當成了現實。

如果你分些注意力給你的大腦就會發現，它正是「虛假新聞」的製造者，是

我們的大腦存在偏見，才導致我們不相信自己的能力。但我們可以用辯證的眼光看待焦慮，質疑它的可能性，問問自己：

我焦慮的事情發生的概率有多少？

這樣的猜想有依據嗎？

它曾經發生過嗎？

經過這樣的質疑，焦慮對人的影響也將會降低。

接受現狀

太多的焦慮來自對自己沒有一個清晰的認知，要麼好高騖遠，要麼妄自菲薄，這是很令人悲哀的。因此，學會關注當下、接受現狀才是應對焦慮的特效藥，擁抱未知、放下對未來的焦慮，並且接受生活中的不確定性，接受自己的不完美。

要知道我們不是每次都能趕上最後一趟公車，不是每一次都能完美完成工作。沒有人能預知未來，當我們完全生活在當下，焦慮就不復存在了。

所謂長大，不只意味著年齡的增長，它帶給我們更多的是生活「贈予」的焦慮。但是，長大後的劇本依舊握在我們自己手裡，我們要學習的，是和焦慮一起慢慢成長。

害怕貓：抱抱它，不會被咬

每一次歇斯底里的背後，
都是對一個大大擁抱的渴望。

每個人內心的焦慮貓，都有它害怕面對的存在，可能是動物，可能是植物，可能是真實的，可能是虛構的。恐懼是我們內心的選擇，是我們每個人都具有的一種情感體驗。當你不得不去觸碰它、解決它時，焦慮貓會變得不安，這種狀態又加劇了你內心的恐懼，讓你在原地躊躇不前，身陷泥沼。

害怕其實是焦慮的特徵之一，**愈害怕**、**愈焦慮**，**反之亦然**。

為什麼在直面某些事情時，我們會感到害怕、恐懼呢？

有一個典型的例子，父母當著孩子的面吵架時，會讓依賴父母的孩子感到害怕，因為對孩子來說，這完全超出了他的認知能力，因而孩子會缺乏安全感，產生恐懼。

從本質上來講，害怕是來自不安全的環境、事件或者不安全感。

一個人的安全感，來自對自己和對周圍事物的認知。如果你不相信自己的能力，你會害怕處理這件事；如果你對這件事知之甚少，未知也會帶來恐懼。不確定的情形就好比一個放大器，它把我們內心的恐懼放大了，就像有人因為準備不充分而害怕考試，有人因為擔心器械安全而害怕高空彈跳。不安全感、不自信……種種心理皆折射著害怕的情緒。

凡事皆有兩面性，害怕的情緒也是一把雙刃劍，它有積極的一面，也有消極的一面。

在動物的世界裡，恐懼使牠們隨時保持警惕，因為牠們要生存、要競爭，只有保持警惕才能避免成為其他動物的口糧。由此可見，恐懼是有積極影響的。

對我們而言，恐懼也能夠驅動我們養成一些良好的習慣，甚至突破自己。比如害怕過馬路，所以小心觀察來往車輛；害怕長蛀牙而堅持刷牙；害怕考試不及格而努力複習、用心備考；害怕演講不流利而反復練習等。正是恐懼讓我們規避了風險、不停地努力，在某種程度上，可以說害怕也成為一種自我保護機制。

但恐懼也會給我們帶來很多負面影響。比如，有一種疾病叫「恐懼症」。它是指患者在面對一些事物或情景時，會產生強烈的恐懼和焦慮，即使他們的理智知道自己不會受傷害，但心理上卻無法阻止這種莫名情緒的出現和蔓延。

患有恐懼症的人會有緊張不安、心慌出汗、尿頻尿急、頭暈噁心、四肢無力等反應，嚴重者甚至會影響正常的活動。由此可見，過度的害怕情緒，會讓我們深陷痛苦，被恐懼支配，影響我們的身體健康，也會影響我們的生活。

那麼當我們因為害怕而感到焦慮時，應該怎麼緩解呢？

培養安全感是克服恐懼的「法寶」

恐懼的來源是我們內心的不安全感，想克服恐懼就要提高我們內心的安全感，減少生活中的不確定性。最可怕的從來不是恐懼本身，而是我們心中的未知。因此，多學習、多鍛鍊，培養特長、提高技能，化恐懼為前進的動力，並保持自信的狀態，積極面對即將到來的挑戰。

降低控制欲是緩解恐懼的「錦囊」

控制欲往往源自於內心的恐懼，那些控制欲強的人，總是想要牢牢掌控生活中的各個層面。他們害怕失控，畏懼未知；然而，人生就好比手裡的細沙，愈想要緊緊抓住，反而流失得愈快。過度的控制通常更容易導致真正的失控，就好比我們經常聽到的那句老話，強弓易折，弓拉得過滿就容易折斷。

所以，面對恐懼一定要克制自己的控制欲，去習慣未知，及時糾正不合理的心理活動。只有這樣，我們才能紓解心理負擔，讓自己在緊張的生活中找到平衡，做到鬆緊有度，從容不迫地面對一切挑戰和未知，實現內心的和諧與滿足。

系統減敏是應對恐懼的「靈丹」

系統減敏法（systematic desensitization）是指建立焦慮或恐懼的等級層次，進行放鬆訓練。在放鬆的情況下，按某一焦慮或恐懼的等級層次進行減敏治療，通過系統減敏來引導患者逐步克服所恐懼的事情。

這就好比馬克・吐溫所說，勇敢是對恐懼的抵抗，對恐懼的掌控，而不是不恐懼。因此，去大膽做一些讓自己害怕的事情吧！比如，你害怕水，那麼在保證安全的前提下，你可以先從淺水區開始練習，讓自己適應水裡的環境，然後循序漸進地往深水區邁進。這不僅能夠幫助你克服對水的恐懼，還能夠享受游泳的樂趣。

放低過高的自尊心是面對恐懼的武器

自尊心過強的人往往會過分在意外界的評價，以致會恐懼他人的眼光。別人一句不經意的批評，可能就會加重這一方面的恐懼心理。因此，我們應該適度放下過高的自尊心，對自己、對生活有一個全面清晰的認知。停止強化內心的恐懼，邁向內心平和之路。

重塑認知是對抗恐懼的「妙藥」

通過打破和重塑認知，可以改變我們某些扭曲的想法，讓自己擁有一種新的方式，去和內心的負面情緒對話，並拆解那些對話。

比如當你想到「我真的很差勁」，不妨問問自己，主語「我」究竟指的什麼？是你的容貌、學習、家庭都很差勁，還是其他什麼？你為什麼會得出「差勁」的結論？你的依據是什麼？弄明白這些問題之後就去調查、去實踐，從生活入手，你會發現，那些不好的結論，並不真的與事實相符。

中國當代作家史鐵生曾在文章中寫道：「把路想像得愈是坎坷就愈是害怕，把山想像得愈是險峻就愈會膽怯。」一切增加恐懼的因素都會阻礙我們擁抱美好生活，而一切加強信心和勇氣的因素，則是我們擁抱美好生活的關鍵。

恐懼是焦慮的情緒化表現，但也是擺脫焦慮的關鍵。停止焦慮，直接面對恐懼，想方設法地去打敗它，將此當成一場探險之旅，你會發現，寶藏就在旅途的終點。

對抗貓：貓咪不是故意的

在焦慮的刺激下，我們爆發的對抗情緒，實際是自我保護的一種手段。

在某種情況下，我們爆發的對抗情緒，實際上是特殊環境下自我保護的一種手段。

假設在工作場合中，你被別人指著鼻子指責：「都怪你，是你的失誤讓我們所有人白白付出一個星期的努力。」

你原本也有一些自責、緊張、焦慮，可是同事當頭一棒砸下來，你內心的自責瞬間變成強大的對抗力，此時的你已經十分生氣，甚至會反擊對方說：

「製造麻煩的難道只有我一個人嗎？上個月的業績，除了你，我們都衝刺到了目標值，就因為你，我們沒能拿到團體獎！今天的事情，你怎麼能將責任全推卸在我一個人的身上？」

如果此時雙方誰也不能退讓一步，或冷靜下來，而是繼續你一句指責、我一腔憤怒，衝突就會愈演愈烈，最後鬧得不可開交，甚至有人會為此丟掉工作。

這便是對抗貓的常見表現，正是一種非常明顯的焦慮狀態。

那麼，我們為什麼會有對抗情緒呢？

對抗的本源，就是自我保護。在我們感受到外界的不友好時，防禦本能就會瞬間迸發出來。就像車輛發生嚴重撞擊的時候，安全氣囊瞬間彈射出來一樣，它們都屬於「被動安全性的保護系統」。對抗者的初衷或許沒有惡意，但對抗情緒讓他無法看清其他事情，從而只能做出比較激烈的反應，甚至說出或做出傷害他人的話語和事情。

其實，很多時候我們遇到的事情並不可怕，可怕的是我們對事情的過度反應。我們在生活中感受到的大部分痛苦，都是後者帶來的，也就是抗拒困境的結果。如果著手「接納」這些困境，順其自然，很多心理症狀就會減輕。

它們在接納時變輕，在抗拒中變重。保持冷靜，靜觀其變，適時轉彎，才能避免無謂的衝突。

如何對待對抗情緒，不妨試試以下幾個小策略：

一、覺知，積極暗示自己

當你意識到自己正處在對抗情緒中時，閉上眼睛告訴自己：冷靜！打住！千萬不要上了情緒的當！拒絕對抗情緒，我照樣可以把問題處理乾淨。

二、假裝對抗

當遇到令你不安的外界因素時，也可以採用假裝對抗的方式，化解內心的不安情緒和對抗衝動。

比如，當同事無端指責你，把所有責任都推到你身上時，你可以用輕鬆的語氣說：「不要這樣子說哦，這件事情到底是怎麼回事，我們都心知肚明。實在不行，我們可以坐下來好好釐清，如果你一味指責我，我脾氣再好也會生氣的。」

三、永遠記住一點：每個人都有選擇權

人人都有權根據自己的選擇來行事，你要學會允許別人選擇其言行，就像你堅持自己的言行一樣，把不同的聲音弱化成個體選擇的不同，這樣在面對別人的指責時，就可以平靜辯駁，而不是被對抗情緒左右，讓自己陷入不理智的狀態。

四、選擇地理隔離

當你控制不了對抗情緒時，可以暫時離開「案發現場」，儘量不要靠近「對抗源」。

五、試著給自己十秒鐘的冷靜時間

當察覺事情不妙，對抗情緒就要爆發時，試著給自己十秒鐘的冷靜時間，傾聽和思考對方的話，抓住事情的本質，就其本質進行交流。

記住，最初的十秒鐘至關重要。

六、事後回顧檢討，了解爲何會失控

一旦出現對抗情緒，事情的發展就很難在掌控範圍內了。即便如此，也要養成事後回顧檢討的習慣，思考為什麼會失控，對方的哪句話讓你產生了對抗情緒，有沒有更好的方法來應對這種事。

事後檢討，能夠幫助你認識到對抗情緒產生的源頭，避免下次再犯。

Chapter 5

駕馭焦慮：與貓咪進行心理博弈

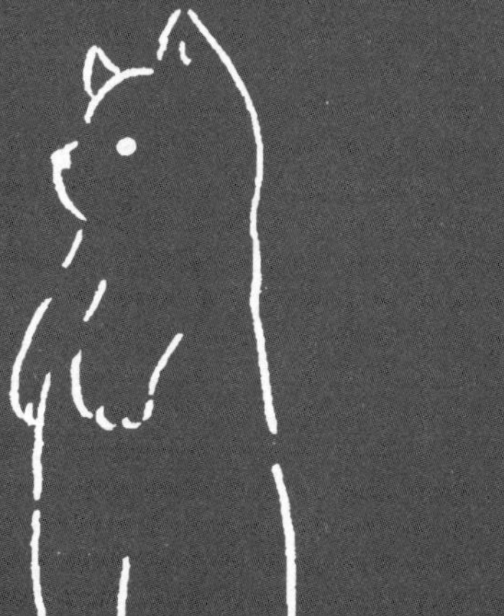

學會與壓力和平相處

必須接受和正視壓力的存在。
壓力的背後，正是生活的意義。

網上，有一段「年輕小伙子騎車逆行被攔，崩潰爆哭」的影片紅了。影片裡的男人情緒崩潰，說自己每天加班到凌晨，壓力太大，引發了網友的共鳴。顯而易見，壓力已經入侵了我們每個人的生活，「壓力山大」早已成為我們的生活常態。

壓力的來源是多種多樣的。愈來愈殘酷的社會競爭、快節奏的生活是它滋生的溫床，工作、學習、考試、結婚、生子……概言之，人只要活著就會有壓力，愈想生活過得好，壓力就愈大。

壓力為內心的焦慮貓提供了源源不斷的「糧食」，壓力愈大，就會愈焦慮，內心的焦慮貓也會逐漸變得肥碩無比。愈焦慮則愈容易打亂生活節奏，反過來，生活毫無章法，壓力也就愈大，人也就愈焦慮，如此惡性循環，直至崩潰。

既然在生活中，處處都是壓力的影子，那麼，完全消滅壓力就是不可能、不現實的期望。對於壓力，我們要做的是與之和平相處，接受壓力的存在，正確認識壓力。

壓力真的只是洪水猛獸，有百害而無一利嗎？

當然不是！正如每一枚硬幣都有正反兩面，壓力的存在也是一把「雙刃劍」。適度的壓力是我們前進的基石，是激發我們潛能、實現個人目標的催化劑，是人生路上必不可少的踏板。

有一項研究表明，那些生活穩定、沒有壓力的人，在認知測試中的得分普遍較低。相對地，他們的積極情緒也很少。與之相反，適度的壓力會催人奮進，人們在「過五關，斬六將」的重重關卡和挑戰中，既付出了努力，也獲得了許多積極情緒，刺激了多巴胺的分泌，從而使大腦獲得「獎勵」。

雖然壓力有其積極的一面，但不可否認的是，過度的壓力一定是有害的。因此，我們要學會適度消化壓力。所謂水滿則溢，過猶不及，正如過度運動會讓肌肉拉傷，過度攝入糖分會患病，過度的壓力也會壓垮我們的肩膀，消磨我們的意志，還會使我們出現心跳加快、血壓升高、肌肉緊繃等生理現象，甚至會威脅我們的身心健康。

一位著名的心理學家曾論斷，當一個人長期暴露在持久的壓力下，大腦中的HPA軸（指下丘腦－垂體－腎上腺軸）就會被打破平衡，從而使我們長期處於「高預警」狀態。這種緊繃的狀態不僅會破壞細胞，還會降低免疫力，加速衰老。

過度的壓力還是焦慮的「幫兇」，讓我們生活在水深火熱之中。所以要對抗焦慮，首先要學會正確處理壓力，掌握好壓力的界限。

壓力有利有弊，要做到客觀看待、正確處理，不妨使用以下幾種方法：

妙招一：理解和評估情緒中的壓力

知己知彼，百戰百勝。要與壓力和平共處，就要先弄明白壓力對於你是怎樣的存在。你可以時常問問自己：

壓力從何而來？

對你來說，這種壓力帶來了什麼影響？

這種壓力是什麼等級的？

它對你的情緒有怎麼樣的影響？

當你因為壓力而煩躁苦悶時，可以試著把它記錄下來。記錄並不是為了尋找應對方法，而是讓你在理性的狀態下認識自己的情緒，從而更好地面對壓力。

妙招二：做有門檻、有難度的事情來提高抗壓能力

如果你「社恐」，就去和陌生人交流；如果你容易產生「美麗羞恥」，就每天打扮得漂漂亮亮出門；如果你容易精神內耗，就把自己投入忙碌的生活中……

有門檻、有難度的事情，能夠幫助我們提高抗壓能力，適時推自己一把，也

有助於養成馬上行動的好習慣。剛開始可能很難，但只要願意做，它就是你與壓力和平共處的良好開端。

妙招三：做運動釋放壓力

運動是我們擺脫壓力的最好方法，在運動的過程中，身體會產生內啡肽，這種物質能夠麻醉我們的身體，並帶來愉悅感，為我們帶來積極情緒，從而釋放出壓力。另外，運動不僅能夠有效應對壓力，還能夠減輕我們的焦慮。

妙招四：自我疏離，消解壓力

美國漢密爾頓學院心理學助理教授蕾切爾·懷特表示，自我疏離可以給我們一點額外的空間，幫助我們理性思考目前的局面。

有一項研究，兩組人員被要求用不同的方式思考同一件事情。比如描述即將面臨的考試。第一組人站在「身在其中」的位置去描述，第二組人則使用「自我疏離」方式，站在旁觀者的角度去描述。結果顯示，第二組人的焦慮感比第一組人要低很多。

這種方法也可以應用在現實生活中，當遇到困難的時候，多想想身邊那些優秀的人，他可能是你的老闆，可能是你的老師，也可能是你的親朋好友，試著想一想，如果是他們，會如何處理眼下的困境。也許換一種思考方式，你就會發現轉機。

自我疏離，可以巧妙地消除心中退不去的壓力。

世間走一遭如同爬山，上山的路上你會遇到各式各樣的挑戰，這些挑戰都會帶給你數不盡的壓力，我們要做的是管理好這些壓力，使之保持在恰當的水平。只有與壓力和平共處，我們才能以更平和堅韌的狀態去駕馭焦慮，也才能以一種良好的狀態，面對生活中的風雨和彩虹。

運動是馴服焦慮貓的利器

好心情從運動開始。

運動是與生俱來的本能。

隨著生活節奏日漸加快，焦慮貓真的是無處不在，這隻小東西隱藏在工作、家庭、俗事、人際關係中，讓你時刻被它纏身，煩惱不斷。與其和小貓咪鬥智鬥勇，不如帶著它一起運動起來。運動被公認為最簡單直接的緩解焦慮、化解壓力的方式。

一、運動能分散注意力，緩解焦慮！

健康的運動，可以有效阻斷身體與大腦間的焦慮迴圈。一般而言，焦慮是由做不好某件事或者是自身性格引起的，運動在提高自身免疫力的同時，還能夠分散焦慮者的注意力，有效緩解焦慮，放鬆心情！

二、運動可以更好地調動大腦資源，使人更加專注！

運動會讓身體在短時間內增加血清素，降低體內激增的腎上腺素含量，能夠促進腦內組織分泌神經生長因子，前者可以提高前額葉皮層抑制恐懼的能力，後者能夠預防大腦功能退化。

運動可以更好地調動大腦資源，提升專注力，讓你的心思都集中到運動這件事情上，而不是沉溺在對抗壓力的糾結中。

三、運動讓身心更加自由！

焦慮的人很容易自我束縛，把自己困在某個空間裡，躲避現實。運動，可以改變這種狀態。從某種程度說，運動能夠讓人樂觀積極，讓人變得更加聰明，更加有活力。經常運動還能使人變得更主動，有利於改善社交生活。運動，似乎有種魔力，能讓人釋放壓力，紓解煩悶，快速走出情緒困境。

四、運動是增強信心的妙方良藥！

不少長期跑步鍛鍊的人稱自己跑步時體驗過一種奇妙的快感，即「跑步者高潮」。這是一種在跑步過程中可以體會到的美妙、興奮，甚至無法用語言描述的愉悅感受。與之相同，其他類型的運動同樣能讓人心情愉悅、身心舒暢。

運動，最關鍵的是要持之以恆。養成運動的習慣，大腦才會源源不斷地從中受益，運動才會成為你生活中的一部分，像刷牙洗臉那樣平常。

千萬記住，運動是我們與生俱來的本能，我們的頭腦和身體就是為此而設計的，它們生來愛運動。要記住的是，不管你是三十歲還是六十歲，只要願意開始運動從來都不晚。

還等什麼？趕快穿上你的運動鞋，體驗運動的減壓效果，感受運動的快樂吧！

當生活歸於簡單，焦慮也會安靜下來

生活是一杯白開水，
簡簡單單，是一種極致的幸福。

簡單生活，又稱簡約生活、極簡生活，是一種極力減少追求財富及消費的生活風格。當生活歸於簡約、簡樸時，牽絆我們的焦慮就會隨之減少，壓力也變得讓人可以承受。放棄不必要的東西，致力於真正有價值的事情，才能真正輕鬆愉悅地活著。

誠如美國知名作家梭羅曾在《湖濱散記》裡宣導的那樣：一個人能拋下的東西愈多，他就愈是富裕。所謂人活到極致，終歸是素與簡。

生活，從簡單到複雜很容易，但從複雜到簡單，卻很難，需要一段很長時間的修煉，你需要有著斷捨離的決心，還要堅定地做好自己。相信自己，以簡單真誠的心來對待生活的所有，不將就、不攀比、不計較，好好過自己的生活，便是最好。

「最樸素的往往最華麗，最簡單的往往最時髦，素裝淡抹常常勝過濃妝豔服。」因此，生活得簡簡單單，也是一種極致的幸福。想要做到生活歸簡，有幾個建議與大家共勉。

其一：精力歸簡

你知道嗎？生活中有太多無意義、無成就感的事情，消耗我們的精力了，不僅讓我們的身體感到疲勞，還會讓我們的生活品質一點點地下降，使我們的生活沒有生氣。滑手機關注好友群組、看短影音、滑臉書，每天解鎖手機無數次……人的精力就在這些煩瑣、無用的事情中消耗掉了。

你把精力花在哪裡，收穫就在哪裡。真正聰明的人，懂得把精力集中在重要的事上。當你騰出更多時間去做生命中重要的事情，無論是讀書學習，還是鍛鍊身體，你會發現獲得快樂的機會愈來愈多，焦慮愈來愈少，生活品質大幅提升。

其二：財務歸簡

在這個資訊科技飛速發展的時代，各種購物App向你招手；直播間裡琳瑯滿目的商品讓你目不暇接；線上支付、信用卡讓你失去了自制力；到了年底，發現非但沒有存下錢，甚至出現了透支的情況，於是你的焦慮陡然劇增，壓力如巨石一般讓你喘不過氣來。你「月光」的生活，彷彿站在懸崖邊上跳舞，搖搖欲墜。

學會讓財務歸簡，可以幫助你走出財務困境。堅持天天記帳，把每天花的錢全部記下來，然後定期檢查，什麼地方該花，什麼地方不該花，心裡要有一把秤。把錢花在刀口上，不該花的錢，一分不花。

其三：心態歸簡

「一個失落的靈魂能很快殺死你，遠比細菌快得多。」

當我們的心態和信念開始崩塌時，人的境遇與走向滅亡也就所差不遠了。所以，對一個人傷害最大的，往往不是來自外界的人或事，而是自己的情緒內耗。

做事情時，我們總會有各種擔心和焦慮，怕自己做不成，怕別人的質疑和否定，前怕狼後怕虎。對尚未發生的事情惴惴不安，充滿焦慮、擔憂和惶恐，搞得整個人很疲憊。每個人的精力都是有限的，無休止的內耗會徹底拖垮我們。與其被精神上的內耗折磨，不如用行動治癒自己。

真正強大的人，將時間都花在解決問題上，用果斷的行動打敗焦慮，不去做哈姆雷特一樣的延宕之人。

其四：表達歸簡

在社交關係中，人容易感到「心累」的很大原因，是人們說話喜歡拐彎抹角、藏著躲著，不直接了當地說出自己的想法，讓人猜來猜去。

作家韋斯托說：「有話直說是一種直接面對問題的積極態度。」

找人幫忙時，有話直說，不要浪費別人的時間；工作溝通時，有話直說，可以提高工作效率；表達情感時，有話直說，可以讓心與心的距離進一步靠近。

其五：交際歸簡

「遠離消耗你的人，也不要去消耗別人。」古語云「良禽擇木而棲」，人也要擇良友而交。你不可能讓所有人都喜歡你，你也不必把所有人都請進你的生命裡。要學會拒絕和遠離消耗你的人，不要為了這些人浪費時間，消耗生命。尤其是毫無價值的飯局、讓你痛苦的人、使你精神內耗的事情以及虛情假意的朋友。

讓交際歸簡，寧願一個人孤獨，也不要盲目加入一群人的狂歡。

簡單生活，是一種方式。只有靜心，才能定心。經常靜下心來聽聽音樂，看看書，是非常有必要的。心靜下來，世界就安寧了。

簡單生活，是一種境界。富有的人往往樸素，只有內心貧乏的人，才需要外在的物質來填補精神的空虛。

簡單生活，是一種智慧。當你把複雜的事情變得簡單，你的世界就會變得簡單。人世間，最複雜的是人心。你的世界太複雜，是因為你的心很雜亂。

簡單是一種生活態度，也是一種做人境界。當你用簡單的心態面對世界時，世界也會變得簡單。生活也是如此，不要沉溺於過去，也不要擔憂未來，就專注於當下，過好此時此刻。把一切看淡看簡，用簡單的心態面對全世界，輕裝上陣，焦慮也就無處尋蹤了。

不可忽視生活中的「小確幸」

「確幸」是「確切的幸福」。
它是一呼一吸，是每分每秒。

「小確幸」真的存在嗎？它們藏在哪裡？又要如何找到？

村上春樹在《蘭格漢斯島的午後》中多次提到「しょうかっこう」一詞，譯者用極為精巧的語言翻譯成「小確幸」，使詞語中蘊含的篤定幸福感，從內心油然而生，躍然紙上。

生活裡，幸福感的來源，其實就在一些細枝末節的地方。對「小確幸」的感知力愈強，焦慮這隻貓咪就會愈溫順。

「確幸」，就是「確切的幸福」，「小確幸」就是那些隨處可見、容易被忽視的微小而確切的幸福，也是心中隱約期待的小事，剛好盡如人意地發生時的那種幸福與滿足。

「小確幸」如晶瑩剔透的珍珠，散落在生活的瑣碎裡，它沒有鑽石的閃耀，也沒有烈日的熾熱，它就是平凡而又溫暖的存在，散發著柔和的光芒，但充滿力量。它們如此珍貴，以至於我們說，沒有「小確幸」的人生如沒有了色彩的畫卷，彷彿萬里無雲的湛藍天空，少了些許對變幻之景的期待，又似咖啡裡少了的那一分甜蜜。

物質極其豐富的年代，我們通過物質，已經可以獲得前所未有的滿足和快感，可是這種幸福毋庸置疑在減少著它的持續時間。物質上的滿足帶給我們的是「小確幸」嗎？

是，但也不盡然。

「小確幸」更多的是指當下，此時此刻，每分每秒中的幸福感。「小確幸」是一種生活態度，一種積極樂觀的心態。

眺望遠方，層巒疊嶂的山川和奔騰不息的江流都是美好，層次錯落的亭台和高低有致的樹木也皆使人喜樂，視覺盛宴盡收眼底，這就是「小確幸」。

端起水杯，品一口清茶，讓柔滑甘甜的茶水伴著午後的陽光滑過口腔，味蕾間有茶葉的微澀回甘，也有水的溫潤清冽，這就是「小確幸」。

連我們的一呼一吸，都是「小確幸」之所在。春雨的纏綿、夏花的濃烈、秋果的芬芳、冬雪的沁涼，四時之景不同，四時之境迥異，自然賦予我們的都是「小確幸」。

是的，「小確幸」就在我們身邊——

是陪伴親人的溫馨快樂；

是與愛人相伴的甜蜜美好；

是懶懶地宅在家裡，看一部療癒電影；

是因為忙碌而棄置一旁的綠植，在春雨後萌發的綠葉；

是孩子一聲聲甜蜜的呼喚；

是三五好友在溪水旁露營燒烤；

是讀完一本書後的酣暢淋漓；

是許久未穿的衣服裡藏著嶄新的鈔票；

是在發現的「寶藏」小店裡買到了心儀已久的小禮物；
是和愛人一起組裝了期待已久的積木；
是同事在忙碌的午後遞給你的一杯卡布奇諾；
是週末陽光遍灑的清晨，推開窗子呼吸的那一絲空氣；
是你幫助了陌生人之後，得到的一句真誠的感謝；
是生活中的點點滴滴，和金錢無關，和名利無關，只與我們的內心所求息息相關。

村上春樹說，沒有「小確幸」的人生，不過是乾巴巴的沙漠罷了。是啊，大的幸運怎麼可能隨時降臨，人間疾苦總是不同程度地讓我們焦慮疲憊，如果沒有了「小確幸」，那生活該是何等苦澀啊！

那些細碎的零散的美好小事，一定不是通過刻意尋求發現的，而是在生活中不經意間意識到的，林林總總，普通、隨機卻又可以捉摸和收藏。

這樣的「小確幸」每一天都圍繞在我們身旁，可惜我們在忙碌的生活和沉重的壓力下，似乎忘記了收集幸福，忘記了感受幸福，忘記了體會幸福，更忘記了最初簡單的心境，其實，這才是生命的真諦。

所以，我們應該有一雙善於發現美的眼睛，當這些「小確幸」跳躍著、旋轉著、舞蹈著向我們走來時，我們才能及時發現它們，並擁抱它們。常常抓住身邊可感知的、確定的小小幸福感，焦慮這隻貓就不會隨便揮舞起它的利爪，撕扯我們的情緒屏障了。

Chapter 6

情緒救急：讓焦慮緩一緩

轉移焦慮貓的注意力

把不必要的想法放在一邊，
正確地看待壓力，管理好自己的情緒。

在生活中，當壓力讓你有點透不過氣的時候，就要懂得為自己減壓，轉移焦慮貓的注意力，讓自己從焦慮中脫離出來，去關注自己喜歡的事情，給自己一點兒喘息的空間。

比如，看一本喜歡的書，培養一項新的愛好，結交一些新的朋友，一旦我們專注在自己感興趣的事物上，焦慮情緒也會得到緩解，甚至被消除。接下來為大家分享幾個能夠有效轉移焦慮貓注意力的方法：

一、音樂是生活的一劑良藥

美妙的旋律具有安撫情緒的功效。如果你被焦慮侵襲，放下手邊的事情，去聽點兒輕音樂吧！當你沉浸在音樂的世界裡，壓力自然也容易被忘卻。

科學研究表明，聽慢節奏和低音調的音樂，可以使人們在面對壓力時平靜下來。如冥想音樂、柔和的爵士樂，通常可以讓你很快放鬆下來。

聽音樂可以有效地「分散注意力」，讓你將注意力從壓力性事件，轉移到愉快的事情上，從而降低感受到的壓力水準。在車裡、在家裡、在辦公室裡，打開你最愛的音樂列表，讓音樂洗滌你疲憊的靈魂吧！

二、到電影院享受一場視聽盛宴

看電影也是一個不錯的解壓方法，有空去電影院或在家建構一個適當的看片場所，選擇一部適合自己的影片，讓壓力在笑聲或淚水中得到消解。

電影不僅可以幫助人們舒緩情緒、放鬆心情、消磨時間，也可以帶來視覺衝擊，活躍神經。我們可以在電影裡尋找浪漫、尋找刺激、尋找逝去的童真，還可以拓寬眼界、豐富情感、增長見識、豐富生活。

三、約三五好友一起去戶外活動吧！

做運動或去郊外活動也是緩解壓力的有效方法之一。當你感到壓力來襲時，可以約上三五好友開啟一次酣暢淋漓的戶外之旅，去享受戶外清新的空氣。另外，毋庸置疑，經常鍛鍊可以增強身體的免疫力，緩解焦慮的心情。

四、和小動物玩耍，消解壓力

養一隻寵物是什麼感覺？就是人與小動物相互依賴，相互陪伴，互相供養。物質上你養牠，精神上牠養你。

科學家研究發現，與貓狗互動玩耍，能夠有效緩解壓力。在和寵物互動的過程中，皮質醇會顯著減少，而皮質醇通常被人們看作衡量壓力大小的標準。皮質醇分泌較多，代表著壓力較大，反之亦然。

當你回家後，看見自己養的小動物向你歡樂地跑來，再也沒有比這更好的治癒心情方法了。如果家裡沒有養寵物，也可以看看可愛的小動物圖片、影片，比如大熊貓、小浣熊，看到那些可愛的、萌萌的動物，人也會不由自主地感到喜悅。

五、通過冥想來自我調節

勞累了一天的你，何不讓自己暫時告別喧囂與壓力，通過冥想讓精神放空一會兒呢？具體的操作方法是，找到那個讓你最放鬆的區域，或是舒適的床鋪，或是柔軟的沙發，舒適地躺在床上或坐在沙發上，向身體的各部位傳遞休息的訊號。

先從左腳開始，使腳部肌肉繃緊，然後使之放鬆，同時暗示它休息，隨後命令腳脖子、小腿、膝蓋、大腿，一直到軀幹部位休息，之後，再從右腳到軀幹，然後再分別從左右手放鬆到軀幹。

六、讀一本讓你沉浸其中的書籍

在科技強盛、注意力短缺的現代社會，閱讀成為一種獨特的減壓方式。它可以幫助我們更好地理解生活，並以不同的角度審視我們的問題。

當我們讀到書中描述的風景、聲音、氣味時，大腦的相關領域被啟動，進而聯想到現實中的真實體驗，這是看電視或玩遊戲所無法比擬的。讀書能滿足人的歸屬感，豐富你的精神世界，使你減少孤獨感，成為我們生活中重要的組成部分。

七、享受健康按摩帶來的解壓體驗

在競爭激烈、壓力巨大的當下，亞健康幾乎成了現代年輕人的「流行病」，如疲勞、渾身乏力等，而在工作之餘，愈來愈多人也選擇通過按摩來放鬆僵硬的肌肉，緩解身體的疲勞。

按摩可以刺激體表穴位，加快人體淋巴液的流動，消除身體上的疲乏感，在一定程度上減輕壓力。

六個超好用的自我心理強化術

面對壓力，最糟糕的就是什麼都不做，只有做些事情，才能往改善現狀的方向挪步前進。

當我們與焦慮貓不期而遇時，有哪些好用又簡單的心理強化術呢？

一、跟我一起，深呼吸

深呼吸可以啟動人體副交感神經系統，降低人體的代謝活動，讓身體放鬆下來，達到舒緩壓力、放鬆神經的效果。

我們一起完成以下動作：

舒適地坐在椅子上，確保兩腳平放，大腿與地板保持平行。身心放鬆，背部挺直，雙手自然放在大腿的前部。

現在，請深吸一口氣，讓腹部自然擴張，彷彿空氣正慢慢填滿你的腹部。隨著持續的吸氣，胸部和肺部完全擴張，似乎感受到胸部正緩慢抬升。想像一下，空氣正從腹部向胸部四周均勻擴散。

隨後，透過鼻子慢慢地呼出這口氣。確保呼氣的時間要比吸氣的時間稍長一些。請保持至少一分鐘的呼吸練習，節奏自然舒緩，不要刻意加速或放緩。注意呼吸的深度以及完全程度，讓身體在每一次呼吸之間慢慢放鬆，感受身心的寧靜和平和。

二、自我調息，早睡早起

早睡早起是一劑良藥。從現在開始，養成早睡早起的好習慣，提高自身免疫力，增強身體素質，心理上也會變得輕鬆些。

當然，好習慣並非一日養成。首先，保證睡前不玩手機，確保自己在十一點前進入睡覺狀態，如果一時間很難做到，可以制訂一個循序漸進的計畫。比如，今天晚上十一點準時閉上眼睛，進入睡眠模式；明天晚上試著提前十分鐘，十點五十分就閉上眼睛進入睡眠模式，以此類推，慢慢把入眠時間調到十點半左右。

早起亦然。比如，剛開始七點起床，慢慢地，調整到六點五十分、六點四十分、六點半等，為早上留點兒時間做你想做的事。久而久之，這些微小的改變就能讓你獲得持之以恆的健康。

三、堅持鍛鍊，讓多巴胺「飛」起來

生命在於運動，生活在於鍛鍊，鍛鍊能夠治癒一切。堅持鍛鍊會增強身體，保持良好的身材，使你的皮膚更好，讓你的笑容更燦爛。

從現在開始，為自己制訂一個切實可行的運動計畫。運動方式可以是慢跑，可以是跳繩，可以是瑜伽，可以是騎腳踏車，可以是任何你喜歡並能堅持下去的方案。保持自律，從每天半小時開始，不斷堅持，一步一步，讓運動和汗水成為你生活中不可缺少的夥伴。堅持下去，你會發現你在逐漸遠離一些無謂的壓力困擾，走在愈來愈好的路上。

四、走出陰霾，從自我形象管理開始

一個人狀態低迷時，很難關注外在的事物，包括自己的外貌形象。這個時候，試著去洗個熱水澡，換上讓你舒適的服裝，精心收拾一下儀容儀表，對鏡子裡的自己微笑，讓心情慢慢好起來。

俗話說：沒有人有義務通過你邋遢的外表發現你內心的美。人是視覺動物，總是喜歡美好的東西。我們可以不精緻，但一定要乾淨清爽。清爽乾淨的形象，會讓你重新獲得自信的力量。

五、學會欣賞別處的風景和別人的美

學會欣賞別人是你變得優秀的開始。只有欣賞別人，才能發現別人的優點，學習別人的長處，你也會變得更好。當你被當下的煩惱、困境擾得不勝其煩時，不妨暫時轉移視線，去欣賞別處的風景和那些美好的人。

學會欣賞，養成豁達的心態，是你走出困境的一招殺手鐧。當你站在雲霄之上時，看到的已經不再是二樓的滿目瘡痍，而是「不畏浮雲遮望眼」的美妙景象。站位調整好，壓力自然減少一半，視野完全打開，成功自然近在咫尺。

六、重塑自信，活出精彩

現實如此，壓力已經產生，面對壓力，最糟糕的就是什麼都不做，把小問題拖成大問題，把小毛病拖成大毛病。所以不管最後能不能做成，都應該盡力做點兒什麼，只有做些事情，才能往改善現狀的方向挪一點點，再挪一點點。

如果第一步可實現，就意味著第二步、第三步也可能實現，在前進中逐步建立信心，有了信心，就能更好地應對壓力。

要及時肯定自己，讓自己重塑信心。每晚睡覺前，檢查自己當天值得誇讚的地方，激勵自己繼續保持。做一個看得到自己美好的人，用積極的態度去面對壓力，去鼓勵自己。

總有一天，你會發現，心理愈來愈強大，生活也變得愈來愈有趣。

二十件讓人快樂的小事

讓人產生多巴胺的快樂秘笈：
少欲則心靜，心靜則事簡。

提到焦慮，我們總會聯想到一些表達負面情緒的詞彙，比如心煩、焦躁、脾氣大、抓狂、心累……雖然適度的焦慮能夠推動人們前進，但如果天天焦慮，不僅會讓我們的心態變差，還會影響我們的身心健康。

正因如此，我們更應該正視焦慮，在感受到焦慮情緒並且無法緩解的時候，一定要及時採取措施，進行情緒急救。

那麼，什麼樣的措施可以緩解我們的焦慮呢？不妨試著做以下二十件小事吧！也許你會因此感受到快樂，忘卻焦慮。

小事情1：喝幾杯茶

有研究表明，如果你每天喝上四杯茶，堅持六週，你就會發現自己變得心平氣和，壓力也隨之變小了，這是因為喝茶能夠降低體內皮質醇的含量。因此，沒事就喝杯茶，用茶代替咖啡，也能緩解你的焦慮。

小事情2：少看手機

自從手機進入人們的生活，慢慢變成了「生活必需品」。現在，人們工作要用它，吃飯要用它，甚至睡覺還得用手機「助眠」。但是，對於工作一天、疲憊不堪的你來說，下班之後身心不僅沒有得到好的休息，反而被手機中的「速食資訊」、無營養資訊、垃圾資訊干擾，讓原本疲憊的身心雪上加霜。

所以，少看手機，能放下手機的時候立刻就放下，讓大腦好好休息一下。

小事情3：養一隻寵物

對獨自生活的人來說，養一隻寵物能夠帶來歸屬感。清冷的屋子裡有一隻可愛的小生物等著你回家，牠們會磨蹭你的手，會窩在你的身邊，毛茸茸的，讓你愛不釋手。

寵物的存在，不僅能夠幫你緩解焦慮，還能夠點燃你對生活的熱情和期待。牠們是無言的朋友，用行動訴說著溫情，讓生活變得更加溫暖、有活力。

小事情4：看一本想看的書

請停止陷入沒有盡頭的悲傷，去看一本書吧！轉移我們的注意力，把思緒放進書中，去感受故事裡的跌宕起伏，去體驗另一個精彩的世界。在這個屬於你的精神世界裡，徹底地擺脫焦慮。

放過自己，從拿起一本書開始，保持心態的穩定，從翻開一本書開始。

小事情5：少發火

俗話說得好，別人生氣我不氣，氣出病來無人替。有研究表明，憤怒如果不及時紓解，任它留在體內，得病的可能性會更高。這個研究告訴我們，生氣有百害而無一利。

所以，為了自己的身體，要少發脾氣、多溝通，畢竟行走「江湖」，人際中的碰撞摩擦是難免的事。

小事情6：多親吻

有研究表明，經常親吻能夠緩解焦慮，因為親吻能夠讓大腦釋放腦內啡，這種物質能夠對抗焦慮，讓人們心情愉悅。

小事情7：多擁抱

過分焦慮時，我們的身體會分泌皮質醇，而皮質醇的「天敵」是擁抱、撫摸。擁抱與撫摸能夠減少相關激素的分泌，從而釋放壓力，減少焦慮。

平日裡多抱抱你的家人和朋友，既能減少焦慮，也能讓我們更好地擁抱生活。

小事情8：來一場說走就走的旅行

當你陷入某一境地停滯不前，不如開闢新的路線，可以來一場說走就走的旅行，去領略異地文化的魅力，去感受山川的壯闊，去欣賞大自然的鬼斧神工，去體驗「滄海一粟」的渺小與微茫。

旅行的開始就是你的新生活的開始，所謂焦慮也隨之而去。

小事情9：記錄生活中的「小確幸」

記錄每一天中讓你感到心情愉悅的事情，焦慮時就去翻一翻，隨著頁面的翻動，你會發現自己的生活充滿了樂趣，可能是與朋友的一次好物分享，可能是與父母的一次通話，也可能是發現了一家私房好店，諸如此類。

當你目光所及皆是療癒人心的「小確幸」，焦慮也會慢慢消失。

小事情10：發現美食

「沒有什麼事情是一頓火鍋解決不了的，如果有，那就兩頓。」

吃東西能夠緩解焦慮。舌尖上舞動著的是生活的影子。食物豐富的味道也能帶來不同的味蕾體驗。精心製作一道美食，用心品嘗一道美食，都是對抗焦慮的武器。

小事情11：做手工

感到焦慮的時候可以學習編織，自己鉤一個飾品、一個包包、一件衣服等。也可以學習手工編織，編出自己喜歡的花樣。除此之外，還可以DIY手機殼、做陶瓷、插花、物品改造等。

當你看著自己親手製作出的漂亮物品，內心的滿足感也會提升。

小事情12：收拾房間

持續的焦慮可能來自於對未來的不確定，但未來是無法立刻抵達的，所以不如做一些能力所及的事情，從收拾自己的房間開始。

比如，改變房間的佈局，把書桌搬到窗邊，更換房間的配色等，在讓房間煥然一新的同時，也順帶收拾自己雜亂的思緒。

小事情13：每天傍晚去散步

為自己每天的生活增添一些固定項目吧！比如每天傍晚去附近走一走。散步的時候，你可能會看到大叔們圍在一起下象棋，也可能看到歐巴桑無憂無慮地跳著廣場舞，看到有人遛狗，看到熱氣騰騰的小攤，看到春暖花開……

一邊走一邊欣賞這人間風景，焦慮也就慢慢消退了。

小事情14：看日出日落

房間是封閉的，與外界隔絕的狀態會帶來無形的壓抑感，因此，去屋頂或者戶外看看日出日落吧！感受一天的開始與結束，感受天空的廣闊。你看，朝陽是美的，晚霞也是美的，我們的生活也可以如朝陽熱烈，如晚霞絢麗。

小事情15：誇誇自己

焦慮的人總是懷疑自己，認為自己一無是處、一事無成，所以請每天睡前或者醒來後都誇誇自己吧！

比如，你可以誇自己：

今天餵了一隻可憐的流浪貓，做得不錯！

今天午飯燒了一葷一素，味道很棒！

今天按時完成了工作，效率很高，明天也要繼續加油呀！

……

不要吝嗇於自我肯定，相信自己才是打敗焦慮的開始。

小事情16：聽音樂

聽聽自己喜歡的音樂，緊繃的思緒也能隨之放鬆。音樂裡的情緒能夠帶動我們的心情，舒緩的旋律能夠讓人放鬆，激昂的樂曲能讓人熱血沸騰，精神滿足有時就是這麼簡單。

小事情17：自言自語

不想和別人傾訴的時候，我們也可以用自言自語、自問自答的方式來紓解壓力。對自己說一些想傾訴的事情，自己吐槽自己今天的「水逆」，甚至可以自我表演，演繹腦海裡的構想，呈現自己的想法，以此發洩自己的焦慮。

小事情18：嘗試新風格

改變自己也是釋放焦慮的有效途徑，焦慮時，不妨試試自己想要嘗試的風格，新髮型、新髮色、新衣服、新首飾，大膽嘗試，做自己生活的主角。

小事情19：大膽說「不」

不想做的事情可以不做，不想幫的忙可以不幫，無用的社交只能帶來更深的焦慮，明明不想，卻還是考慮到各種因素而沒有拒絕，往往只會浪費自己的時間和精力。把生活的重心放到自己身上，學會說「不」，才能讓人生更從容自在。

小事情20：斷捨離

積累了好久的衣物、書本，舊了的擺件……當你焦慮萬分時，可以試著把這些堆積如山的物品清理出來並扔掉。包括那些你認為有用，但其實已經放置很久了的東西。

當扔則扔，才能減輕行囊的重量，好繼續前行。

去做這二十件小事，讓我們的情緒放鬆下來，才能更好地、更從容地面對生活，才能發現生活中我們所擁有的那些「小確幸」。人生萬象，我們自己也是其中的一種，請找到最適合自己的狀態，收拾行囊，重新出發。

Chapter 7

自我治癒：重建心靈的秩序

安頓好心靈世界的房客

要想打敗焦慮，必須安頓好自己的心靈世界。

在現實生活中，焦慮的人愈來愈多。職場中，他們焦慮於工作有沒有做完；學校裡，他們焦慮於能否順利完成學業；生活中，他們焦慮於能否和其他人和諧相處……你看，人們的內心總是被各種各樣的事情塞滿，這些事情所帶來的情緒，最後都演化成了一隻焦慮貓咪。

我們的心靈世界不光存在著這隻焦慮貓咪，還住著很多其他「房客」，它們可能是我們想事情時的萬般思量，是我們生活中尚未解決的事情，是來自各方的情緒，也可能是我們對生活所持有的態度……

當焦慮可控時，這隻焦慮貓只是偶爾打擾一下其他房客，讓它們陷入一種緊張或戒備的狀態。當焦慮過度發展，焦慮貓會擁有強大的攻擊性，對你心靈世界的一切任意破壞，給房客們帶來傷害，擾亂你的正常生活。

而對抗焦慮，保護我們心靈的有效方法，就是重新審視和建立自己的內心秩序，將我們心靈世界裡的房客們安頓好。只有這樣，我們才能開始良好的自我治癒過程，最終依靠自己的內心力量，讓焦慮貓變得乖順可控。

那麼，我們應該如何安頓心靈世界的房客們呢？

一、「逐客」，房客愈少，愈容易安頓

如果心靈世界住了太多房客，我們安頓起來就會感到紛繁複雜，費力費神，一不小心沒有安頓好，焦慮的情緒就會隨之而來。

有一位年輕人想要換一份工作，他想去大公司上班，但是一直沒有著手製作簡歷。有人問他為什麼，他說想要先了解工作，但是過了一段時間，他還是沒有投遞履歷，一問才知，他擔心大公司面試門檻高，工作壓力大，所以一直糾結到

底要不要投送履歷，最後他還是待在原來的工作單位，天天焦慮著。

這個故事告誡我們，雖然古人說我們做事應該「三思而後行」，但是，思量過度對我們並無益處。如果做事總是瞻前顧後，想得太多，最後只會讓自己陷入困境，無法掙脫。

二、築好堡壘，對生活進行斷捨離

焦慮的我們在自我治癒的過程中，需要整頓心靈秩序，但是心靈世界的堡壘如果太過「脆弱」，就容易被負面情緒「沖塌」。因此，我們需要「加固」堡壘，學會對生活中的人、事、物進行斷捨離，為自己的生活「減重」。

古語有言，「失之東隅，收之桑榆」。不必吝惜於所有物，斷捨離後的生活會更加多姿多彩，斷捨離後的心靈世界也會更加堅不可摧。

《湖濱散記》的作者梭羅也曾困於生活中的諸多事情。二十八歲前的他，諸事不順，親人逝世、被戀人拋棄，得不到賞識，也謀不到公職，生活帶給他的壓力，讓他患了一場大病。

痊癒後的他放下曾經的執念，帶著一把斧頭來到瓦爾登湖，在湖邊建了一座小木屋，伴著湖畔日出而做，日落而息，以自己的所見所聞寫下了《湖濱散記》，並流傳至今。

你看，只有捨去執念，才能夠整裝出發，開闢新的人生。

三、照顧好內心情緒，不斷堆積的負面情緒是焦慮的能量

在我們的心靈世界裡，除了剪不斷的思量、理不清的事情，還有各種各樣、不斷堆積的情緒。其中有催人向上的正面情緒，比如愉悅、幸福、熱情，也有讓人停滯不前的負面情緒，比如憂愁、苦悶、憤怒。面對這些焦慮因子，我們需要做的就是進行情緒管理。

奧利森．馬登博士曾說過，明白如何控制痛苦與快樂這兩股力量，而不是為它們所控制，就是一個人成功的秘訣；如果你能夠懂得並做到這一點，就可以很好地掌握住自己的人生；反之，你的人生就難以自我掌控。這告訴我們，要做自己情緒的主人，凌駕於情緒之上，學會管理情緒，而不是被情緒所影響和支配。

那麼要如何情緒管理呢？

首先，要加強控制情緒的意識，當負面情緒隱隱有爆發徵兆時，要用意志來控制，告誡自己不要盲目發洩情緒，應當保持理性。其次，可以進行適當的自我鼓勵，比如讀一些至理名言安慰自己，鼓勵自己勇敢面對負面情緒，讓勇氣、毅力戰勝懦弱和逃避心理。

最後，可以做一些情緒排解，當心裡的負面情緒堆積到極點時，不妨在空曠的無人處放肆吶喊，可以痛快地大哭，也可以肆無忌憚瘋玩一場，發洩出負面情緒，才能更好地安頓心靈世界。

世界潛能激勵大師安東尼．羅賓斯有一段名言：成功的秘訣在於懂得怎樣控制痛苦與快樂這股力量，而不為這股力量所反制。如果你能做到這點，就能掌控住自己的人生，反之，你的人生就無法掌控。

懂得安排自己情緒的人，早已收拾行李，踏上了正確的人生之路。

無論如何，請安頓好心靈世界的房客，讓每一種有必要的存在，都能得到妥善的安置，讓不需要的存在即刻離開你的心靈世界。這樣，焦慮將被你遠遠地甩在身後，隱入塵土。

心靈世界也要減重，請定期宣洩情緒

一旦情緒再次不安分，就要立即採取安撫措施。

人們有各種各樣的情緒狀態，焦慮只是其中的一種。調查顯示，符合焦慮相關精神障礙診斷標準的人變得愈來愈多，生活中的任何事件都可能成為我們感到焦慮的誘因，焦慮情緒又反過來嚴重影響我們的生活。

焦慮對於我們的心靈世界來說，是極大的危險因素。正因如此，我們更應該學會安撫心裡的情緒，以積極的心態擁抱生活。

情緒不安分的原因多種多樣，成年人的崩潰也常在一瞬間，但無論如何，崩潰之後還要繼續生活。每一種情緒的形成都有它關鍵的原因，安撫情緒要從查找讓情緒不穩定的原因開始。

生活中的不順利，往往是導致情緒不安的主要原因。人生路上的坎坷可能會輕易打亂我們心靈世界的秩序，並引發各種情緒的「暴動」。面對逆境，有人選擇勇往直前，有人選擇另闢蹊徑，也有人陷入情緒中無法自拔。

成長中的經歷也可能帶給我們焦慮。

有一位年輕人有嚴重的「演講焦慮」，只要是當眾發言，就會感到十分焦慮，而這種情緒的背後，是其幼時教育帶來的強烈羞恥心，以及來自父母持續不斷的否定。

同理心太強，有時也是導致情緒不安的「罪魁禍首」。當人們在追劇、看小說時，會不由自主地沉浸在故事裡，把自己代入其中的一個角色，但過分沉浸其中，可能使我們與生活脫節，並導致負面情緒過分堆積。

陷入「思維反芻」更會讓人們陷入焦慮的情緒中無法掙脫。在面對失控的情緒時，我們總是在不停地批判自己、打壓自己。

「怎麼又哭了，一點兒用也沒有！」

「我為什麼不能忍住失態。」

「別人覺得我很煩怎麼辦？」

……

無限的「思維反芻」只會讓我們身心疲憊，最後狼狽收場。

了解了原因，就要開始「對症下藥」。面對不安分的情緒，我們應該如何安撫它呢？

首先，我們要學會「跳出來看自己」，脫離給我們帶來不安分情緒的環境。

心理學家哈倫·貝克曾提出「認知扭曲」的概念，這一概念認為我們所執著的，有時候是一些並不存在或者完全錯誤的認知，這些認知會導致負面情緒的堆積，讓我們更難從困境中掙脫。

自己的小天地有時是有局限性的，要知道在天空與地面之間，我們萬分渺小。

當你困擾於目前的境遇時，不妨跳出自己的圈子，迴避造成不安情緒的環境，也許一切會「柳暗花明」。

因為與人相處而感到焦慮時，不妨先獨處一段時間；因為面對公共演講感到焦慮時，不妨先對著鏡子多練習幾次；想不通的事情也可以先放一放。當然，有些事我們是迴避不了的，所以也要學習其他的調節方法。

其次，閒暇時可以學習冥想，冥想能夠幫助我們很快地安撫焦躁的情緒。呼吸是生命的象徵，觀察呼吸是冥想的一種方法。通過感受生命，我們能夠撫平不安的心緒，方法是觀察氣息進入身體或者呼出時鼻孔的感受，或者觀察腹部的隆起和收縮等。

觀察自己的想法是另一種方法。「我是無趣的」和「我觀察到我在想我是無趣的」，這兩種結論看似一樣，卻是處於完全不同境遇中得出的觀點，前者是局中人視角，後者則是旁觀的角度。觀察自己的想法，能夠幫助我們意識到，有些想法只是「想法」。

除了這兩種辦法，還可以聆聽聲音，單純地去聽周圍的聲音，不去想，也不要分析，不管是風吹來時樹葉沙沙作響，還是隔壁做飯時的鍋碗碰撞，聽著聽著你會發現，這些聲音的背後是無盡的寂靜。

冥想時需要給我們所有的情緒一個空間，承認自己的負面情緒，不要排斥它，與之相處，拓展自己的意識空間。當你的意識強大起來，它也只是其中的一小部分而已。

最後，學會定期宣洩情緒，給心靈世界減輕負擔，不安分的情緒自會「歸位」。

霍桑工廠為了提高員工的工作效率，請來了專家與員工進行談話，這些員工在談話時可以盡情表達自己的意見和不滿，後來，霍桑工廠的工作效率得到極大的提升。這種現象就是社會心理學中的「霍桑效應」。

當內心的情緒不安分時，不妨把它們從你的心裡「放出來」，心靈世界有時很狹小，裝不下無盡的情緒，這時候你就要通過自己的方式進行宣洩。

事實證明，撕紙是很好的發洩方法，如《紅樓夢》中的「晴雯撕扇」。準備一支筆、一張紙，將你的情緒寫在紙上，再盡情地撕碎，你可以一點點地撕，也可以毫無規律地撕，愛怎麼撕就怎麼撕。

大喊是通過聲音宣洩，最好是在山上，對著山、對著樹，用盡力氣地喊，你可以喊三次，也許山谷還會將你的聲音放大，你的情緒在一次次的回聲中也會消失在心底。

你還可以準備幾個柔軟的枕頭，把它們想像成你情緒的來源，對它們進行一頓捶打，也可以隨意地亂扔，與枕頭的大戰就是你的情緒大戰。

你也可以去唱歌、去運動、去痛痛快快地玩一場，但要拿捏好程度。總之，當情緒再次不安分的時候，不妨快速行動將它整理好，只有這樣，我們才能讓情緒鬆緊有度，收放自如。

提高心靈的包容度是幸福人生的籌碼

心靈世界的情緒容差愈大，
我們的心理狀態就會愈輕鬆。

曾聽人說：「一個人真正的修養，就是不將自己的負面情緒帶給他人。」那麼，怎麼樣才能做到這一點呢？是完全壓抑、隱藏自己的負面情緒嗎？

當然不是。

在生活中，我們的負面情緒大多都是自己內化形成的，這些負面情緒本身也有程度、影響性上的差異，因此，只要是負面情緒就要一棒子打死的做法並不可取、也是不現實的。維護心靈世界的和平，不要將自己的負面情緒帶給他人，核心的做法其實是提高我們心靈世界的情緒容差。

所謂容差，是容許的誤差範圍，也可以理解為包容度。那什麼是情緒容差呢？在這裡，我們可以定義成「對情緒的包容度」，或者說，對生活中一切的包容度。

對心性堅韌的人來說，他們的情緒容差可能就會很大；對敏感脆弱的人來說，他們的情緒容差可能就很小。所以，對我們來說，要完成心靈的自我療癒，學習擴大自己心靈世界的情緒容差，是必修課之一。

我們要做情緒的主人，但成為主人的前提是能夠自我消化這些突如其來的情緒。一個人的情緒容差愈大，對情緒的包容度愈高，就愈能鬆緊有度地應對突發的情緒，成為情緒的主人。

如果心靈世界的情緒容差過小，那就容易陷入過分的焦慮中，甚至是患上抑鬱症。如魯迅筆下的祥林嫂，她的前半生是悲哀的，因為她經歷了生活的種種不幸，而她的後半生則更加悲哀，因為她不斷向別人訴說自己的悲慘經歷。反復撕開自己的情緒傷口給別人看，得到的並不會是真正的同情和悲憫，反而是他人的厭惡和唾棄。

所以，過度傾訴並不能真正幫助我們走出困境，不斷壓縮自己的情緒容差，將自我情緒進行人為的積累，而不是消化，只會毀掉一個人的未來。對別人來說，你那些無法控制、隨意宣洩的情緒也會傷害他人。

情緒容差小的人不能處理好自己的情緒，就把情緒肆意發洩在他人身上，對別人也會造成傷害和影響。

不如意存在於每個人的生活中，一步步地成長，意味著我們需要一次次獨自消化情緒。擴大自己的情緒容差，也是對成年人的要求。

擴大心靈世界的情緒容差，也能夠幫助我們從容地面對生活。

「生命宛如長河，渡船有千艘，唯自渡方是真渡。」情緒容差大，才能夠更好地認識自己，提高自我效能。正如《菜根譚》裡說道：「寵辱不驚，閑看庭前花開花落；去留無意，漫隨天外雲卷雲舒。」無論「寵辱」還是「去留」，都應當以平常心對待，這樣才能淡然應對生活中的萬事萬物。

情緒容差大，還會幫助我們建立良好的人際關係。你會和情緒不穩定的人往來嗎？答案很顯然——不會。朋友有時就像一面鏡子，你對他皺眉，他也皺著眉看你；你對他微笑，他也會回之以微笑，正因如此，我們才會想要與情緒容差大的人交往。

在電視劇《都挺好》中，蘇明玉就是典型的代表，在她二哥被職場霸凌時，她能夠和平地邀請她二哥的上司去公司，禮貌客氣地與對方交談。在整個過程中，蘇明玉的情緒非常穩定，也能迅速把心思放在尋找處理方法上，這也告訴了我們擴大情緒容差的重要性。

在日常生活中，我們應當如何擴大情緒容差呢？

分離情緒與事實

我們在人生路上不斷修行，一定要記住一點，情緒不是事實，我們所擔憂和惶恐的事情，在沒有發生前就是不存在的，有時，情緒只源自我們對最壞可能性的恐懼進行的無數倍放大。

鍛鍊我們的適應性

我們總認為世界是理性的、合乎邏輯的，我們從心底相信，付出就會有回報，但這些其實是我們對外部世界的「假設」，現實並不是如此。我們不妨設定幾條新的「假設」，比如：「變化才是常態」「要時刻為適應新的變化做好準備」。這樣，當外部環境真的發生變化時，我們對自己情緒的包容度也會擴大。

培養下意識行動，並內化成本能

陷入焦慮情緒時，我們往往會停在原地陷入迷茫，但是，越是處於這種狀態中，我們就愈要主動改變！最好在你察覺到情緒低落的那一刻馬上行動，這就是「下意識行動」。我們要不斷地、有意識地鍛鍊這種行為，把它內化成身體的本能，想做什麼就去做，直到你的情緒能夠重新「洗牌」，重新振作起來。

情緒容差小，是一個人悲劇的根本；情緒容差大，是一個人最好的籌碼。懂得駕馭情緒，保持一顆平常心，幸福才會慢慢發芽。

後記

願你從容面對內心的焦慮貓

在焦慮這件事上，每個成年人都有著豐富的體驗和經驗。可以說，焦慮是我們生命中不可剝離的部分。

從我們出生開始，這隻名為「焦慮」的貓咪就在我們心靈深處穴居，與我們朝夕相伴、共同成長。它是一隻性格、情緒多變的貓，喜食負面情緒，比如我們內心的恐懼、憤怒、自卑、失望和疲憊等，一旦它吃飽喝足，就喜歡作威作福，以折磨我們為樂，但如果我們心裡充滿陽光和快樂，它就會變得乖巧起來。

我們不可能完全消滅焦慮，我們和它也並不是敵對關係，適度的焦慮反而能更好地保護、鞭策我們。

但在現實生活裡，被焦慮纏繞的人已經無法看到或感受到它積極的一面。因為當焦慮發作時，這隻磨人的小貓，不安分地在你身旁上竄下跳，不斷挑戰你的理智和耐心。那種糟糕又難以擺脫的感受，很難不讓人抓狂。我們無比渴望馴服這隻磨人的貓咪，卻常常束手無策。

其實，很多時候我們因為某種事物感到煩惱、困擾、無助，都是因為對其不夠了解。焦慮也是一樣。

反過來，當你對焦慮的了解愈來愈多，也就意味著對它擁有了更強的掌控力。那麼當你再次面對自己的焦慮時，就不會只是感到緊張、不安、煩躁、手足無措……因為你所擁有的關於焦慮的知識和認識，會告訴你這是一種正常的反應，這些認知會輔助你分析焦慮的原因，引導你紓解焦慮，並找到適合自己的行之有效方法，以對抗焦慮帶來的傷害。

所以，增加關於焦慮的知識和認識，可以讓你更快地逃離焦慮的侵擾，成為焦慮貓的主人。

學有所用是另一件重要的事，而思考是能夠實現學有所用的鑰匙。

這裡有一個小小的建議，當你在書中得到一些共鳴時，在遇到一些似曾相識的場景時，希望你能夠對自己曾經感到焦慮的事件和當時的感受，做全盤的反思和審視。對自己的案例做分析，在過往中找到有價值的經驗，會更容易將知識嵌入你的思維模式裡。當下一次焦慮來臨的時候，你會更容易保持冷靜，也能更從容地面對。

其實，我們每個人都擁有駕馭焦慮的能力。就像小時候通過反覆學習，能識字，會遣詞造句，會寫文章。我們同樣可以通過學習和練習，管理自己的焦慮，讓住在心底的焦慮貓安靜下來。

最後，衷心地希望每一位讀者都可以通過閱讀和思考，找到一種更從容的狀態去對待焦慮。希望大家在現實世界中奮鬥的同時，也不要忘記關注自己的內心世界。

如果焦慮是隻貓

帶你擺脫情緒內耗，安撫內心的焦慮貓

作　　者　段美茹
責任編輯　呂增娣、錢嘉琪
校　　對　魏秋綢、呂增娣
封面設計　劉旻旻
內頁設計　家思設計工作室
副總編輯　呂增娣
總 編 輯　周湘琦

董 事 長　趙政岷
出 版 者　時報文化出版企業股份有限公司
108019 台北市和平西路三段 240 號 2 樓
發行專線　(02)2306-6842
讀者服務專線　0800-231-705 (02)2304-7103
讀者服務傳真　(02)2304-6858
郵　　撥　19344724 時報文化出版公司
信　　箱　10899 臺北華江橋郵局第 99 信箱
時報悅讀網　http://www.readingtimes.com.tw
電子郵件信箱　books@readingtimes.com.tw
法律顧問　理律法律事務所　陳長文律師、李念祖律師
印　　刷　家佑印刷有限公司
初版一刷　2024 年12 月20 日
定　　價　新台幣 380 元

如果焦慮是隻貓：帶你擺脫情緒內耗，安撫內心的焦慮貓 / 段美茹著 . -- 初版 . -- 臺北市：時報文化出版企業股份有限公司 , 2024.12
208 面 ; 14.8×21 公分
ISBN 978-626-419-067-1（平裝）
1. CST：焦慮　2. CST：壓力　3. CST：情緒管理
176.527　113018384

Printed in Taiwan

時報文化出版公司成立於一九七五年，並於一九九九年股票上櫃公開發行，
於二〇〇八年脫離中時集團非屬旺中，以「尊重智慧與創意的文化事業」為信念。